Y0-BCK-299

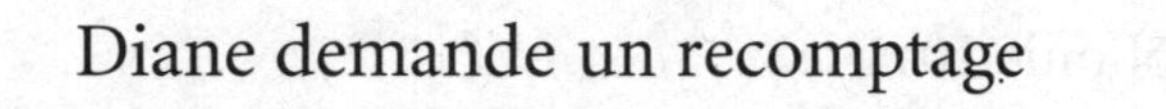

Diane demande un recomptage

DE LA MÊME AUTEURE

La petite et le vieux, Montréal, XYZ éditeur, 2010 ; Montréal, Bibliothèque québécoise, 2012.

- Lauréat de la 11e édition du Grand Prix littéraire de la relève Archambault 2011
- Finaliste au prix France-Québec 2011
- Finaliste au Prix des cinq continents de la Francophonie 2011

Le syndrome de la vis, Montréal, Éditions XYZ, 2012 ; Montréal, Bibliothèque québécoise, 2017.

Autopsie d'une femme plate, Éditions XYZ, 2017.

Les chars meurent aussi, Éditions XYZ, 2018.

- Lauréat du programme Une ville, un livre 2019

Marie-Renée Lavoie

Diane demande un recomptage

roman

XYZ

Catalogage avant publication de Bibliothèque et Archives nationales du Québec et Bibliothèque et Archives Canada

Titre : Diane demande un recomptage / Marie-Renée Lavoie.
Noms : Lavoie, Marie-Renée, 1974- auteur.
Identifiants : Canadiana (livre imprimé) 20190036028 | Canadiana (livre numérique) 20190036036 | ISBN 9782897722159 | ISBN 9782897722166 (PDF) | ISBN 9782897722173 (EPUB)
Classification : LCC PS8623.A8518 D53 2020 | CDD C843/.6—dc23

Les Éditions XYZ bénéficient du soutien financier du gouvernement du Québec par l'entremise du programme de crédit d'impôt pour l'édition de livres et de la Société de développement des entreprises culturelles du Québec (SODEC). L'éditeur remercie également le Conseil des arts du Canada de l'aide accordée à son programme de publication.

Financé par le gouvernement du Canada | Canada

Édition : Myriam Caron Belzile
Révision : Isabelle Pauzé
Correction : Anne-Laure Brun
Conception typographique et montage : Édiscript enr.
Graphisme de la couverture : René St-Amand
Illustration de la couverture : Shelley Richmond / Trevillion Images
Photographie de l'auteure : Hélène Bouffard

ISBN version imprimée : 978-2-89772-215-9
ISBN version numérique (PDF) : 978-2-89772-216-6
ISBN version numérique (ePub) : 978-2-89772-217-3

Dépôt légal : 1er trimestre 2020
Bibliothèque et Archives nationales du Québec
Bibliothèque et Archives Canada

Diffusion/distribution au Canada :
Distribution HMH
1815, avenue De Lorimier
Montréal (Québec) H2K 3W6
www.distributionhmh.com

Diffusion/distribution en Europe :
Librairie du Québec/DNM
30, rue Gay-Lussac
75005 Paris, FRANCE
www.librairieduquebec.fr

Imprimé au Canada

www.editionsxyz.com

1

Où je fais un peu de maths.

La Vie est beaucoup trop complexe pour que l'âge d'une personne révèle véritablement le nombre d'années vécues. Additionner bêtement les jours qui passent m'apparaît outrageusement simpliste: un enfant de dix ans coincé dans un pays en guerre est un vieillard; une personne âgée qui a passé sa vie à se regarder le nombril n'est qu'un ado dans un corps magané. Des tonnes d'adultes nés depuis plusieurs décennies s'attardent dans les joies douceâtres de l'adolescence sans qu'on stoppe leur chronomètre. L'être humain évolue dans des dimensions qui échappent aux véritables lois du temps, les maths n'y peuvent rien. Einstein s'y perdrait.

Je connais personnellement des vieux quinquagénaires qui ne passent pas la barre des vingt ans de maturité (que chacun mette ici le nom de son choix). Il arrive que certains êtres farcis de sagesse, qu'on croyait à l'abri des soubresauts de l'âge tendre, fassent de prodigieux bonds vers l'arrière, de façon tout à fait inattendue, comme on dévale les cases à dos de serpents. Ces régressions sont banales comme le rhume. Les psys ont même élaboré des tas de théories aux noms compliqués pour les expliquer, ce qui leur confère, à mon sens, une fausse importance: ce ne sont que des pets de cerveaux qui se répandent en miasmes toxiques sur tous ceux qui se trouvent autour.

Pour eux comme pour les autres, pourtant, le temps égrène son chapelet sans se laisser distraire. Ça se comprend, pour assurer le bon fonctionnement de la société, les gens comme les chars n'existent qu'en fonction de leur âge: il faut pouvoir les classer, en faire des statistiques et fixer leurs primes d'assurances. Mais j'ai fait mes calculs et j'en suis arrivée à la conclusion que le spectre du cinquante qui plane sur moi depuis mon dernier anniversaire manque cruellement de nuances.

2

Où je soigne mes pieds et mange du cassoulet.

Mon médecin de famille est mort. Ces gens-là meurent comme les autres, en cordonniers mal chaussés. On ne déjoue pas la Faucheuse comme le fisc, pas moyen de ruser, tout le monde y passe et paie son plein dû. Dommage, c'était une belle âme qui aurait mérité un sursis. Je le dis très égoïstement.

En attendant qu'on m'en attribue un nouveau, je m'en suis remise aux bonnes grâces d'une clinique sans rendez-vous accueillant les SMF – sans médecin de famille – de tout acabit qui encombrent les marges d'un système désarçonné par le fait qu'on vive désormais si vieux. C'est que je ne pouvais plus me regarder sécher les pieds sans rien faire: mes talons fendaient et saignaient. Les onguents et crèmes achetés sur les conseils de tout un chacun s'étaient montrés impuissants. La sécheresse s'accentuait et s'étendait, menaçait de gagner le reste de mon corps déjà en jachère depuis le départ de Jacques.

Dans la salle d'attente pleine de gens qui avaient l'air plus malades que moi, je me suis mise à douter de la nécessité de consulter. Je vivais le même genre d'hésitation quand les enfants se blessaient, autrefois. Entre le moment où je débarquais paniquée à la clinique et celui où notre nom retentissait dans l'intercom, mes convictions de mère inquiète qui réclamait à grands cris contenus des soins immédiats s'étaient transformées en certitude d'embourber inutilement le système et de voler la place à un *vrai* malade. Les enfants prennent toujours du mieux une fois dans une salle d'attente, c'est une loi universelle. Ce jour-là, quand j'ai réalisé que mon numéro A-74 s'accompagnait de quelques heures d'attente, j'ai d'abord été outrée – la moitié de mes impôts y passe, quand même! –, mais je me suis souvenue, juste avant de me transformer en petite madame désagréable, que je n'en avais pas payé depuis ma mise à pied, quelques mois auparavant. Je me suis alors sagement assise. Ce n'est pas comme si j'étais attendue quelque part.

Un homme en face de moi dormait d'un sommeil de plomb, les bras croisés, la lèvre inférieure pendante. La bave n'allait pas tarder. La facilité des hommes à dormir en public m'a toujours fascinée. Ils arrivent à s'abandonner au milieu d'une foule, en pleine réunion, pendant un baptême, une pièce de théâtre, une assemblée sénatoriale; un sous-ministre dormait sur scène lors du dernier gala de la chambre de commerce auquel j'ai assisté. Personne ne s'offusque pour si peu, on leur jette plutôt des regards attendris («Laisse-le faire, y est tellement fatigué.»). Les femmes ne dorment pas en public, ou si rarement, tout occupées qu'elles sont à préserver les apparences, cette engeance maudite qu'on leur colle au cul dès l'enfance et qui leur permet de s'auto-empoisonner pour le reste de leur vie. Quand elles s'endorment, par mégarde, on s'empresse de les réveiller («On peut pas la laisser avoir l'air folle de même!»), elles qui ne manquent jamais de se justifier («Je me reposais les yeux.»). C'est une histoire vieille comme le monde: les femmes qui boivent, fument, roupillent sont vulgaires, faibles; les hommes qui s'abandonnent aux mêmes délices sont des hommes, des *vrais*. Je crois qu'on commencera réellement à parler d'égalité homme-femme le jour où tout le monde trouvera *cute* qu'une femme pique une petite sieste au beau milieu d'un *party* de famille. Ma fille Charlotte croit qu'on n'avancera pas tant que les femmes diront «*mon* ménage est pas fait» au lieu de «*le* ménage est pas fait».

Quand mon tour est arrivé, mon téléphone était mort depuis une heure et demie, et je venais de finir d'éplucher les lambeaux de revues à potins qui traînaient un peu partout. Je n'avais en substance rien appris, sinon que les célébrités se marient et se démarient plus souvent que les anonymes, et que les Kardashian font beaucoup de bébés. Ah oui, et que Demi Moore a les genoux plissés. J'imagine que son chirurgien a depuis réglé ce petit problème de disgrâce physique qui menaçait de la faire entrer dans la catégorie des pichous.

Une jeune infirmière est entrée dans la petite salle d'examen où on m'avait dirigée pour prendre ma pression, mon pouls, mon poids.

— C'est nécessaire, le poids?

— Vous vous êtes pesée récemment?

— Euh… non.

Évidemment, comme toutes les femmes qui aimeraient s'en foutre complètement, je connaissais mon poids au dixième de livre près, mais je n'avais aucune envie de le prononcer à voix haute, de le faire résonner entre les murs beiges de cette armoire à balais où je venais seulement chercher, j'aurais peut-être dû le préciser d'emblée, une crème miracle pour les pieds. Mais je suis bonne joueuse, alors j'ai enlevé tout ce que j'ai pu et suis montée sur l'odieuse balance en fermant les yeux. Le déni est un rempart comme un autre. Je ne devais pas être à plus de vingt-cinq livres du bonheur, à quoi bon gâcher ma journée.

— Vous faites de la fièvre?

— Non.

— Vous venez pour?

— Mes talons.

— Vos talons?

— Oui.

— C'est quoi le problème?

— Sont tellement secs que la peau fend, ça se met à saigner à tout bout de champ. C'est pas tant que ça fait mal que j'ai l'air d'une lépreuse quand je me promène de même. J'ai essayé toutes les crèmes possibles.

Elle prenait des notes avec des codes et des abréviations, comme si la branche des talons saignants possédait son propre jargon médical. J'aurais dû me dire que j'étais entre bonnes mains, je me suis plutôt sentie banale. Un entrelacs de délicates fleurs tatouées ceignait son poignet et plongeait sous la manche de son uniforme. Son dos hébergeait peut-être un foisonnement de tiges indiscrètes qui portaient leurs fleurs jusque dans les replis humides de son corps.

— D'autres problèmes?

— Oh oui, beaucoup, mais rien de médical.

Elle a souri, par politesse, comme la serveuse qui se fait demander ce qu'elle a mangé « pour être belle de même ». *Funny*, la matante, *funny*.

Le médecin est entré quelques minutes plus tard, l'air blasé, comme s'il savait déjà que je venais pour quelque chose de ridicule. Il avait des tempes qui commençaient à grisonner, des pattes d'oie matures, un front raviné de sillons profonds, comme en ont les gens un peu trop maigres. Une cinquantaine aux trois quarts rongée. Je me le suis imaginé avachi dans une bergère aux pattes sculptées, posée sur une peau d'ours, un verre de bourbon à la main.

— Madame… Delaunais.

— Oui.

— Alors vous venez pour… euh… les talons ?

— Oui, mes talons de pieds.

— Ça tombe bien, j'en connais pas d'autres.

— Ha…

— Assoyez-vous là, s'il vous plaît, ma petite madame.

— C'est sûrement pas grave, je viens juste pour une prescription de crème, mes talons sont trop secs, y fendent à rien, ça saigne tout le temps, les crèmes de pharmacie marchent pas…

Je suis montée sur le petit marchepied et j'ai posé mes fesses de petite madame sur le papier blanc que j'ai souhaité propre. L'idée de m'asseoir dans les sécrétions d'autres malades me retournait l'estomac, j'évitais d'y penser. Comme je portais le jean *skinny* acheté avec Charlotte l'année d'avant, j'ai eu du mal à croiser la jambe pour exposer le derrière de mon pied droit, le plus amoché.

— Montrez-moi ça.

— Pour mal faire, là y saigne pas, mais j'ai pas fait grand-chose aujourd'hui…

— C'est bon, vous pouvez vous rechausser.

— Oh ! Déjà ? Vous avez eu le temps de tout…

— Hum hum.

Il inscrivait déjà quelque chose dans mon dossier. Un charabia en lettres cursives indéchiffrables. Avoir su que ça pouvait se régler en un clin d'œil, j'aurais simplement envoyé une photo.

— Vous avez l'air de connaître ça… Ça porte un nom ?

— La maladie des femmes au foyer.

Il a dit ça comme on crache un poil collé à la langue, en soulevant légèrement les épaules, l'air de dire : « Appelons un chat, un chat. »

— Les femmes qui travaillent pas mettent pas de bas, elles se promènent en gougounes, en sandales… À la longue, la peau se réhydrate pas, ça fend…

Le souffle méprisant sur lequel surfaient ses mots ont fait lever dans mon esprit de détestables faux synonymes de « femme au foyer » – menu fretin, nounou pas payée, citoyenne négligeable, petite madame habillée comme la chienne à Jacques – qu'est venue couvrir, heureusement, l'image salvatrice de la masse de démolition que je gardais dans le placard de l'entrée pour les urgences comme celle-ci. La savoir à portée de main me calmait, me rassurait, me gandhifiait.

— Je vous prescris une crème. Vous l'appliquez matin et soir, vous portez des bas deux-trois jours par semaine. Tout devrait rentrer dans l'ordre dans peu de temps.

Je me suis permis une seule petite vengeance, d'une innocence toute puérile, mais qui m'a fait un bien fou. Il aurait mérité un cours d'éthique 101 pour comprendre que seule une impardonnable étroitesse d'esprit permettait d'associer « femme au foyer » et « femme qui ne travaille pas », mais je me suis contentée d'un compliment, une fois sur le bord de la porte.

— C'est noble de votre part de continuer de pratiquer même après l'âge de la retraite. Ça manque tellement, les médecins de première ligne.

Le sourire qu'il m'a servi pour toute réponse ressemblait étrangement à ceux que mon amie Claudine renvoie à sa fille Adèle quand celle-ci l'insupporte au point de la rendre muette de rage. Dans le jargon des ados, empreint des nuances scatologiques propres à la petite enfance dont certains peinent à se défaire, ça s'appelle « un sourire d'envie de chier ». Je l'ai salué en battant pavillon blanc avec mon papier d'ordonnance. Cherchez la paix, toujours. C'est ce que j'ai enseigné à mes enfants.

Dans la salle d'attente, le petit monsieur dormait encore, son numéro D-49 coincé entre le pouce et l'index. Sur l'écran, le D-53 clignotait. C'est si touchant, un homme qui dort.

■

J'ai rejoint Claudine au restaurant À la Casserole !, sympathique petit bistrot français situé à deux jets de pierre du duplex que nous avons acheté ensemble quelques mois après ma séparation. Elle occupe le rez-de-chaussée avec Adèle, sa plus jeune – Laurie est maintenant en appartement avec son *chum* –, moi, l'étage, avec Chat de Poche, alias Steve, ma bête à trois pattes qui ne craint pas les escaliers. Le cassoulet qu'on sert au bistrot possède des vertus curatives qui s'appliquent à la majorité des dégâts que sème le Malheur dans nos vies. Nous en avons assez souvent usé, en quelques mois à peine, pour recoller nos âmes et nos cœurs malmenés pour que notre tour de taille s'en trouve généreusement bonifié – on brûlera ça à coups de *spinning* et de *boot camp*, un jour ou l'autre.

— Franchement, y a sûrement un nom de maladie pour ça ! T'aurais dû l'envoyer promener.

— J'ai fait mieux que ça…

— Eille ! Avant que j'oublie ! Cinq à sept jeudi soir à l'Igloo.

— Bof…

— Enweille donc, Ji-Pi va être là.

— Qu'est-ce que tu veux que je fasse avec Ji-Pi ? Y est marié !

— Y est le *fun* à regarder.

— Je trouve ça plus fatigant qu'autre chose.

— Enweille donc ! Le nouveau devrait se pointer aussi.

— Fabio ?

Nous l'avions légèrement rebaptisé pour lui donner une touche sexy, Claudine ne se résignait pas à vouloir *frencher* un Fabien. Le serveur est arrivé avec nos bols en grès brûlants posés sur une épaisse planche de bois.

— Attention mes chères dames !

Les parties exposées du jarret de porc, du lard salé, des saucisses et du confit de canard avaient légèrement noirci dans le four à bois, juste comme c'est bon. Un délicat film graisseux translucide recouvrait le ragoût de haricots que je m'apprêtais à percer de ma fourchette, entre deux bouts de carottes et de poireaux très sacrilèges – un touriste français s'était déjà signé en voyant ça –, pour humer les volutes viandeuses du fumet que je mangerais par le nez. Les filles de Claudine, résolument végétariennes, refusaient net de mettre le pied dans la place tant il était certain que le simple fait de respirer les amènerait à trahir leurs convictions. Mes glandes salivaires sécrétaient à fond de train pour assurer la désintégration en molécules digestibles de cette indécente, mais ô combien douce, quantité de calories. Ma seule déception : je ne me rendrais pas jusqu'au paris-brest.

— Je vous remets un petit coup de cahors ?

— Pas le choix.

Paradoxalement, avec un verre de tranche-gras, comme notre hôte l'appelait pour mettre l'accent sur l'utilité du vin, ça nous semblait moins décadent, presque raisonnable ; au fond, il n'accompagnait pas tant le plat qu'il nous en soignait. Et nous étions de bonnes patientes.

— Pis toi ?

— Journée de marde.

— Oh.

— J'arrive de l'école d'Adèle.

— *Oh boy…*

— La chair de mes entrailles est suspendue pour trois jours.

— DÉJÀ ? On est au début de l'année !

— Madame porte des jeans effilochés interdits, des chandails bedaines interdits, des souliers à roulettes interdits, pis à parle aux profs comme à me parle, juste pour te donner une idée…

— Des souliers à roulettes ?

— Son père y a ramené ça des *States*. Si tu veux te péter le coccyx ou t'ouvrir le crâne, c'est parfait. Fait qu'après neuf avertissements, deux retenues pis quelques *fuck off* bien sentis mal lancés, y ont décidé de la suspendre.

— Sont patients.

— Beaucoup.

— Qu'est-ce que tu vas faire ?

— J'hésite.

— Son téléphone ?

— Déjà confisqué par son père depuis samedi.

— Pour ?

— L'ensemble de son œuvre, qu'y m'a dit.

— Coudonc, qu'est-ce qui se passe avec elle ?

— Fait que j'ai pensé au supplice de la roue, mais j'ai pas de roue assez grosse pour ça… Y a l'écartèlement, qui est ben souffrant, apparemment, mais ça nous prendrait des chevaux, j'ai pas le goût d'aller virer à la campagne juste pour ça.

— Le bûcher ?

— On le ferait où ?

— Dans la ruelle.

— La caserne est à côté, les pompiers vont retontir avant que le feu ait eu le temps de prendre, c'est des hyperactifs du chrono, c'te gang de crinqués-là.

— Le supplice de la goutte ?

— Je sais pas comment faire.

— Moi non plus.

— J'ai pensé aux bains glacés, comme dans les hospices de folles dans le temps.

— Ça doit être chiant, ça…

— Mais 'est trop lourde, j'arriverai jamais à la mettre dedans. À va se débattre, j'vais manger des coups de pied, ça va mal finir.

— Sors les grands moyens.

— Tu penses à quoi?

— Ça fait un bout de temps que ta mère est pas venue voir ses petites-filles chéries.

— *Oh-my-God*…

3

Où je m'efforce de réintégrer la chaîne alimentaire.

— Y vont sûrement te faire des mises en situation. On va se pratiquer.

— Je pense pas que ce soit nécessaire, j'ai de l'expérience avec les enfants, pis j'ai presque un diplôme…

Il fallait que je me mêle à nouveau au chaos environnant et que je recommence à travailler – le petit commentaire acidulé du médecin avait fait son chemin –, mais il était hors de question que je retourne faire du neuf à cinq dans un bureau climatisé avec des Josy-Josée (nom générique pour les fouines de bureau qui médisent et foutent le trouble, et sur qui, généralement, on rêve de vider son café) ou que je m'échine à vendre quoi que ce soit à qui que ce soit. Je ne voulais plus être enchaînée à un ordinateur ni que mon temps et mon énergie servent à l'édification financière d'une poignée d'actionnaires déjà gavés comme des oies grasses; je voulais faire œuvre utile, me dévouer corps et âme pour des gens dans le besoin, des êtres vulnérables pour qui je ferais, passez-moi le cliché, la différence. À l'esprit de ma fille

Charlotte, à qui je révélais mes nouvelles lignes existentielles et qui connaissait par cœur mon famélique C.V., un mot s'est imposé, immense comme une cathédrale : école. Car qui dit « école » dit dévouement multiforme, don de soi total (économies substantielles pour l'État) et grande source de satisfaction personnelle (sentiment positif qui anoblit les économies faites par l'État).

L'école est un puits sans fond de besoins à combler, de petites et grandes douleurs à soigner, de désirs à encadrer, d'émerveillements à susciter. L'investissement est direct, humain et sans compromis. Travailler dans une école force l'admiration, les gens ne ménagent pas leurs bons mots – cousus de reconnaissance et d'une forme de pitié qui retrousse – quand ils se retrouvent devant ceux qui y œuvrent.

— Oui, maman, tu peux pas gérer les enfants de l'école comme tes propres enfants, c'est pus comme en mille neuf cent tranquille, y a plein d'affaires que t'as pas le droit de faire aujourd'hui.

— Comme ?

— Donner des tapes sur la main.

— Des fois, on a pas ben ben le choix.

— Ben non, c'est ça que je dis, tu peux pas ! Tu vas te mettre dans le trouble, tu vas avoir la direction, les parents pis tous les réseaux sociaux sur le dos, si tu fais ça.

— OK, vas-y cocotte.

— Madame Delaunais…

— Oui, c'est moi-même.

— Mets-en pas trop, hoche la tête juste un peu en disant « hum hum ».

— Pourquoi ?

— Parce que ça fait matante, dire « moi-même ». Tu dis pas ça de toute façon, dans 'vraie vie, sois naturelle. Bon. Qu'est-ce qui motive votre choix de venir travailler au service de garde de notre école ?

— Je suis en train de m'encroûter comme une grosse bourgeoise divorcée en restant chez nous toute la journée…

— Maman…

— Parce que je reste juste à côté.

— …

— Parce que j'adore les enfants et que je veux donner à la communauté en me dévouant pour eux. Pis c'est pratique, je reste juste à côté.

— Bon, une première mise en situation, madame Delaunais…

— Hum hum.

— Deux enfants se chamaillent dans la cour et en viennent aux coups. Vous gérez ça comment ?

— Est-ce qu'y en a un qui saigne ?

— Peu importe.

— Au hockey, c'est important, c'est deux ou quatre minutes.

— Maman…

— Je te niaise, chérie.

— Très drôle.

— Je les mets dans des coins séparés pis je leur dis de réfléchir.

— Réfléchir à quoi ?

— Bof, à ce qu'y veulent, en autant qu'y fassent semblant d'être désolés après.

— Maman !

— À quoi veux-tu qu'y pensent? Sont en beau maudit un après l'autre! C'est pour le show qu'on leur demande de se faire des excuses devant tout le monde. Un enfant réfléchit pas dans un coin, y rêve juste de se venger. Tous les parents savent ça.

— Mais tu peux pas dire ça!

— Tu m'as dit d'être vraie.

— Laisse faire... Autre situation, madame Delaunais: un enfant fait pipi dans ses culottes.

— Je fais semblant que je l'ai pas vu.

— Y vient vous voir en braillant.

— Je l'envoie prendre une douche au vestiaire pis mettre des vêtements de rechange.

— Y a pas de douche ici, c'est une école primaire.

— Tant pis. On essuie comme on peut avec du papier brun, j'y fais mettre du linge de rechange.

— Ça tombe mal, l'enfant en a pas.

— On s'arrange avec la boîte des objets perdus.

— Facile. Mais bon point.

— Mais y va sentir le pipi, donc les autres vont l'écœurer, ça va finir en chamaillage, donc on revient à l'autre situation qu'on règle de la même façon: simulacre de réflexion dans des coins séparés, le petit plein de pipi d'un bord, les méchants de l'autre.

— Maman...

— Les chicanes commencent souvent de même, crois-moi, j'en ai assez vu.

— Une petite fille arrive à moitié habillée en plein hiver?

— On s'arrange encore avec la boîte des objets perdus. Pis on appelle les parents pour les engueuler.

— Un élève arrive pas de lunch ?

— Je pique celui du petit crisse qu'y a fait saigner l'autre tantôt pour lui donner.

— …

— Ben non, tout le monde donne un petit quelque chose pour lui faire un lunch. Pis on appelle les parents pour les engueuler.

— Vous vous rendez compte qu'un des enfants dont vous avez la charge se fait sérieusement intimider par une bande de petits durs.

— Je trouve le chef de la bande pis je l'élimine.

— …

— On appelle les parents de l'intimidé pour leur proposer d'engager des tueurs à gages pour éliminer discrètement le chef, idéalement en dehors de l'école.

J'ai beau être une femme plate (d'abrasifs qu'ils étaient au début de ma séparation, ces mots de Jacques m'amusent aujourd'hui), il m'arrive parfois de me trouver très drôle.

— Bon, j'ai d'autre chose à faire, moi, que d'écouter ton petit numéro comique.

— OK OK ! Attends, je vais être sérieuse : on avertit tout le monde, les autres éducateurs, les profs, les parents, la direction, les psychologues, on forme une cellule d'intervention pis on rencontre les intimidateurs et l'intimidé ensemble ou séparément pour essayer de briser la relation malsaine qui s'est installée ; on établit des conditions serrées pour les intimidateurs qui peuvent entraîner une suspension pis même un transfert dans une autre école ; on fait des activités de sensibilisation avec les autres élèves de l'école, on déstigmatise, on parle, on fait des ateliers éducatifs, des projets, des mobiles 3D, on engage des grosses vedettes pour venir nous expliquer comment faire…

— *Wo!* T'étais bien partie, gâche pas tout.

— Pis si une petite fille pleure sa vie parce qu'elle s'ennuie de sa maman pis se sent toute perdue, je la prends dans mes bras tant que je peux pis je la réconforte en y disant plein des petits mots doux dans le creux de l'oreille.

La belle tête de ma grande Charlotte s'est inclinée de vingt degrés, nord-nord-ouest, et j'ai su que si l'affaire n'en tenait qu'à elle, je serais tout de suite engagée, même avec mes blagues plates. Dans la partie dorée de sa mémoire subsistait l'image d'une gentille Clarisse qui lui avait généreusement tendu ses bras et sa moelleuse poitrine dans ses premiers jours à la maternelle, le temps d'apprivoiser mon absence. Je n'avais pas les formes aussi généreuses qu'elle, ni sa patience, mais je possédais quelque don pour me faire aimer des enfants. Au pire, je leur donnerais des bonbons en cachette.

■

La secrétaire qui m'a reçue ne m'a pas adressé la parole. Elle s'est contentée de lever une feuille blanche sur laquelle était écrit en grosses lettres : PAUSE.

— Oh ! Pas de problème, je m'assois là pour attendre. Je viens pour l'annonce pour le service de garde.

— On a pas le choix, madame, j'suis désolée, sinon on arrête juste jamais. C'est les parents, le téléphone, les livraisons, les enfants blessés, les petits de la maternelle qui sont pas encore propres, *whatever*, ça arrête juste jamais. Les classes sont pleines, l'école déborde, la directrice est dans une classe en ce moment parce qu'y manque un prof; la remplaçante est partie hier en braillant. C'était la deuxième depuis la rentrée. C'est le concierge qui a fini la journée.

J'ai jeté un œil discret au calendrier sur la porte: 17 septembre.

— Le ménage peut attendre, des fois. En tout cas, y attend souvent chez nous, comme chez ben du monde, j'imagine. Tout le monde a pas les moyens de se payer une femme de ménage, je dis ça, mais je pourrais m'en payer une, c'est une question de priorité, moi, j'aime le linge, j'aime mieux m'acheter du linge pis me torcher moi-même. Pis de toute façon, quand ça fait trois jours que la toilette a été lavée, on s'entend-tu que c'est à refaire, pis personne fait venir sa femme de ménage aux trois jours, fait que le ménage attend, y a pas mort d'homme quand le ménage est pas fait, tout le monde connaît ça, fait que c'est pas pire qu'ailleurs si le concierge *checke* une classe une fois de temps en temps pour dépanner, le ménage peut attendre, comme partout.

J'étais impressionnée, sa logorrhée verbale ne l'empêchait pas de boucler ses idées. Émaillées par la lumière crue des néons, les mèches rose bonbon qu'une coiffeuse avait eu l'étrange idée de lui semer sur le dessus de la tête balayaient l'air comme un plumeau. C'était peut-être, certainement même, maintenant que je regardais bien, le résultat d'un bricolage maison. Impossible de deviner son âge, qui devait se situer quelque part entre trente-cinq et cinquante-cinq. Elle tenait un discours de matante sur un ton de grand-mère dans un corps patate qui s'ébauchait doucement. Maintenant qu'elle avait fini de brasser vigoureusement son yogourt – déjà brassé, c'était écrit en toutes lettres sur l'étiquette – avec une petite cuillère de plastique transparente, elle me parlait en barattant ses mots en rouleaux laiteux.

— Du café chaud, moi, je bois jamais ça. Jaaaaamais jamais jamais jamais. De la minute que je mets le pied ici le matin, c'est fini, pus une seconde tranquille, *finito* jusqu'au soir. Je peux même pas aller pisser ! Y a une prof qui est venue me voir dans les toilettes, hier, pour me dire qu'elle me laissait un petit qui avait mal au cœur. On jasait à travers la porte pour décider de ce qu'on ferait avec cet enfant-là, juste pour vous dire. J'ai pas eu le temps de me renculotter que le petit vomissait devant mon bureau. Heureusement que le concierge était pas dans une classe à ce moment-là, y a des ménages qui peuvent moins attendre que d'autres…

Un élève est entré en se tenant le front à deux mains, geignant comme un mourant. Les yeux de merlan frit de la secrétaire ont ricoché au plafond avant de revenir sur le pauvre petit qui s'est instinctivement tourné vers moi. Ma tête de « femme au foyer », probablement.

— Me sus pété la tête…

— La secrétaire prend une petite pause, ça sera pas long. Montre-moi ça en attendant… Oh ! la belle poque ! Qu'est-ce qu'y s'est passé ?

— Me sus penché pis Cédric avec.

— Vous vous êtes penchés en même temps ?

— J'avais échappé mon *spin* à terre.

— Ton quoi ?

— Mon *spinner*.

— Bon, y voulait juste t'aider.

— Non, y voulait me le voler !

— Ben voyons, on accuse pas de même…

— Y me vole tout le temps mes affaires !

— OK. On va aller mettre de l'eau froide sur ce bobo-là. Tu vas me montrer où sont les toilettes.

— J'ai pus mon *spinner*…

— Qu'est-ce que tu fais avec ça, un *spinner* ?

— Je *spinne*.

— Y est où, là, ton *spinner* ?

— Madame Valérie l'a pris.

— Pis Cédric, y a pas mal ?

— Non, y a une tête dure.

La secrétaire n'a pas bronché. Tout son être venait de se replier dans le rectangle lumineux de son téléphone, qui lui faisait oublier que son café tiédissait.

— Ça vous dérange pas que je l'emmène aux toilettes ?

— T'es dans quelle classe, toi, mon loupiot ?

— Dans madame Valérie.

— Ton nom ?

— Luis Sanchez.

— Ah ! C'est naturel, ton beau petit *tan*, espèce de chanceux. Allez-y, je finis ma pause.

Kidnapper un enfant est beaucoup plus facile qu'on le croit.

■

L'école était en chantier. Certains des murs étaient éventrés, d'autres cachaient leurs entrailles mises à nu par de simples toiles de plastique. Des empilades de matériaux de construction rognaient les corridors à certains endroits. Une horde d'enfants paniqués par l'éclosion d'un feu se seraient gaiement piétinés dans une allée ainsi réduite. Ma fibre de mère s'est légèrement tendue.

— Tu peux pas rentrer ici, c'est les toilettes des gars.

— Les mamans ont le droit.

— T'es une maman ?

— Oui, j'ai trois enfants, une fille et deux garçons.

— Y s'appellent comment ?

— Charlotte, Antoine et Alexandre.

— Sont dans quelle classe ?

— C'est des adultes maintenant, y sont grands, y travaillent. Ben, Charlotte va encore à l'école, mais… c'est compliqué.

— T'es une grand-mère ?

— Euh… non, pas encore. On va prendre du papier brun, tiens, ici… on va le mouiller avec de l'eau froide… attends un peu… voyons, ça marche pas… y a pas d'eau dans celui-là… ici non plus…

Un pan de mur humain venait d'apparaître dans l'embrasure de la porte, casqué et lesté d'une énorme ceinture de cuir débordante d'outils brinquebalants. Un pan avec des fossettes vrillées au centre des joues. Pas de barbe ni de tatous apparents. Donc un vieil original, avec un visage buriné qui semblait avoir quelques années d'avance sur son corps.

— L'eau est coupée, madame, désolé. Y a un distributeur au bout du corridor si c'est pour boire.

— Oh !

— On rebranche dans cinq.

— C'est pour la tête du petit coco, y a eu un léger accrochage.

— *Oh boy*! Méchante poque!

— Me sus pété la tête sur Cédric.

— Ce serait mieux de mettre de la glace, madame.

— Pas sûre qu'on va trouver ça ici.

— Je peux vous passer un de mes *ice packs.* Vous êtes sa prof?

— Non, non… je… travaille (j'ai mis le verbe au futur dans ma tête) au service de garde. Vous pouvez me tutoyer.

— Toi aussi. Jim.

— Diane.

Nous l'avons suivi à quelques pas de là, jusque devant une grosse glacière rouge Coleman qui semblait avoir servi de banc de scie. À l'intérieur, il y avait de la bouffe pour une armée: des yogourts, des carottes taillées en bâtonnets, deux kilos de noix du randonneur, des sandwichs, des clémentines, un sac de fromage en grains, alouette. Ça m'a rappelé les deux lunchs que je devais faire pour Antoine à l'adolescence parce qu'il n'arrivait pas à se retenir de manger le premier à sa pause du matin.

— Diane?

Dans mon dos, une autre voix d'homme. Et une impression de déjà-entendu. J'ai mis quelques secondes à le reconnaître, à cause de ses cheveux désormais courts et de la chemise à manches longues qui dissimulait ses tatouages.

— Guy?

— Hé hé! T'es prof astheure?

— Non! Non non…

— Non ? Tu fais quoi, ici ?

— C'est moi qui devrais te demander ça ! Je pensais que tu faisais juste du résidentiel…

— C'est un de mes *chums* qui est venu me chercher. Ça me change des clients chialeux pis des tant-qu'à-faire. T'es toujours dans le même coin ?

Jim expliquait au petit de bien tenir la glace sur sa bosse, avec ses mains gigantesques.

— Non non, j'ai vendu. Je me suis acheté un duplex à trois rues d'ici avec une amie. Ben, tu la connais, en fait, c'est celle du bras cassé, tu te souviens, l'année passée ? Tu nous avais amenées à l'hôpital…

— *Oh yes, Flashdance* !

En repensant à la scène et à nos bouilles de petites madames passablement ramollies par l'alcool, ça ne me semblait pas la meilleure idée qu'il s'en souvienne aussi promptement. Heureusement, le petit était revenu se coller à ma jambe avec son *ice pack*, ce qui me donnait un peu de crédibilité et me projetait peut-être, je l'espérais du moins, dans un rôle plus séduisant.

— T'as dit merci à Jim, Luis ?

— Je pense que oui.

— On va remettre le *ice pack* dans ta glacière après.

— Parfait !

— Bon, faut que je remonte, on rebranche. On va se revoir, on est ici au moins jusqu'aux Fêtes.

Il a mis sa main sur mon épaule avant de repartir en souriant.

— Content de te voir en forme de même.

La cage d'escalier l'avait déjà avalé quand j'ai réussi à esquisser un faible « Moi aussi ». Sous l'empreinte fugace de ses doigts, une douce chaleur irradiait. J'avais perdu l'habitude d'être touchée.

Quelques secondes plus tard, la cloche de la récréation sonnait, déversant à sa suite un tsunami d'enfants pressés d'aller se défouler dans le bout de cour de récréation épargné par les travaux. La rumeur confuse des petites voix était couverte par des « En rang ! », « Pas de courage dans l'escalier ! », « En silence ! ». Sans la certitude de revoir Guy, je me serais peut-être quand même sauvée en courant.

La main fermée sur l'acoustique d'un des derniers téléphones filaires de l'Histoire, la secrétaire intimait à un élève, d'un index sévère, l'ordre d'attendre qu'elle ait fini. Visiblement essoufflée, une femme en tailleur a déboulé dans le bureau au même moment.

— Ah ! vous êtes la suppléante !

— Euh… non, je viens pour…

Elle a pivoté vers la secrétaire en essaimant un léger parfum de sueur.

— Lucie ! La suppléante s'en vient ?

La secrétaire a fait non de la tête.

— Arrrgh !

Luis était retourné « dans » Valérie avec l'espoir de remettre la main sur son *spinner*. Ou de se venger de celui qui lui avait fait perdre son *spinner*. On pouvait déjà imaginer comment ça finirait. À lui voir la bosse sur le front, on aurait pu croire qu'un troisième bras tentait de se frayer un chemin par là. Je triturais le *ice pack* tiédi pour occuper mes mains.

— S'cusez-moi, madame, on est complètement dans le jus.

— Je sais, pas de problème.

— Vous êtes une maman ?

— Non. Oui, mais je viens pour l'annonce du service de garde.

— Faut voir Andrée pour ça. Au bout du couloir, à gauche. Le service de garde est là. Vous êtes sûre que vous êtes pas suppléante ?

— Ça prend quoi, comme diplôme, pour être suppléante ?

— Pour cette classe-là, une ceinture noire dixième dan ferait l'affaire.

Elle m'a fait un clin d'œil avant de repartir au pas de course. La secrétaire s'est finalement tournée vers le petit garçon qui attendait son tour de parole.

— Bon, qu'est-ce que tu veux, mon chou ?

— Euh… je m'en rappelle pus.

— T'as un papier dans ta main, ça doit être pour moi.

— Voui !

■

Mon entrevue avec Andrée n'a duré que quelques minutes. À en juger par ses vigoureux hochements de tête, mes réponses ont semblé la satisfaire. Les manches de sa chemise rouge étaient trop courtes, le débardeur qu'elle portait par-dessus, trop vert. J'ai discrètement jeté un œil plus bas : jeans bourgogne et souliers brun pâle. L'effet *Passe-Partout*, j'imagine. J'ai souhaité que ce ne soit pas contagieux.

— Je pense qu'y aura pas de problème pour la reconnaissance des qualifications, même si vos cours datent un peu, on fait de la formation continue de toute façon, on pourra s'arranger avec ça… J'ai d'autres candidats à voir cet avant-midi, pis des vérifications d'usage à faire, pour des questions de sécurité.

— Évidemment.

— Mais j'ai besoin de monde pour hier, fait qu'on va devoir procéder rapidement. Je vous donne des nouvelles d'ici demain.

— C'est parfait, je bouge pas de chez nous.

— Vous avez pas de téléphone cellulaire ?

— Oui oui, c'est une façon de parler.

J'ai vécu plus de quarante ans sans cellulaire, certains réflexes tardent à s'inscrire.

La jeune femme qui est entrée dans le bureau après moi avait des cheveux bleus et un nombre incalculable de boucles dans les lèvres, le nez, les sourcils et, comble de la fantaisie, les lobes d'oreilles. Tant d'anneaux dans lesquels les doigts des petits pourraient se prendre. J'ai sorti mon cellulaire de femme technologiquement dépassée pour écrire à Claudine (Antoine ne conçoit pas qu'on puisse être complètement fonctionnel sans posséder le dernier iPhone X[24] ; avec mon vieux 6, je suis quatre fois dépassée).

Devine qui travaille à l'école !

J'ai pas le temps, *shoot* !

Guy !!!

Guy qui ?

Le menuisier !!!

Quel menuisier ?

Celui qui travaillait à côté
de chez nous, le même
qui nous a emmenées
à l'hôpital quand tu t'es
cassé le bras !

Y fait quoi, dans une
école primaire ?

Secrétaire.

TU ME NIAISES ???

On le sait : il ne faut pas écrire des mots complets dans un texto, ni crier en majuscules ou mettre des points d'exclamation partout. Claudine et moi, on se fout aller-retour des codes « d'aujourd'hui », dans ce domaine comme dans tant d'autres. On pousse même la transgression jusqu'à mettre des majuscules en début de phrases et des accents là où la langue le commande. Folles de même. Nous soutenons à qui veut l'entendre que nous sommes des anarchistes ; nos enfants disent, avec une touche d'amour, « Non, juste des vieilles ».

Ben non, y menuise.

Frenchage potentiel en
vue !!!

Un : j'ai pas encore
la job. Deux : y est
sûrement pas libre.

Un : tu vas l'avoir. Deux :
je te rappelle qu'on parle
de *frencher*, pas de
fourrer.

Tu connais mon point de
vue là-dessus.

On s'est donné rendez-vous chez nous en fin de journée, autour d'un verre de solution temporaire. Depuis qu'elle n'avait plus qu'à monter un escalier pour venir chez nous, Claudine montait souvent s'y réfugier. Ce jour-là, comme Adèle viendrait de se claquer une deuxième journée de travaux forcés sous la supervision de sa grand-mère – et devait probablement écumer par tous les orifices –, mon amie n'était pas pressée de rentrer chez elle.

4

Où je discute gentiment avec Jacques et saute dans le tas.

Je me suis arrêtée à la quincaillerie en rentrant pour récupérer un nain de jardin que j'avais commandé au début de l'été. C'était un modèle très spécial, avec une lanterne qui s'allume, une sculpture assez mignonne pour tirer des « Oh ! » d'admiration au plus blasé des passants. Mon nain livrerait une bataille sans merci aux ténèbres de ma cour à coups de piles AAA. Simon, le petit gars de la ruelle qui n'en avait que pour mon village de nains, serait fou comme un balai. J'ai pris mes courriels et vérifié la sonnerie de mon téléphone pour la trentième fois. Silence radio. La fille aux cheveux bleus était peut-être une éducatrice de compétition, finalement.

J'ai ensuite marché jusqu'à la pharmacie pour flâner dans les allées et me découvrir de nouveaux besoins à combler (comment pourrais-je savoir qu'il me faut absolument la nouvelle vadrouille hexagonale Bath Magic de Vileda si je ne l'ai pas encore vue ?).

— Diane !

J'avais tourné le coin avec aplomb, impossible de changer d'allée sans avoir l'air de fuir. Je me suis bricolé une petite contenance en jetant un œil pressé à mon téléphone, pour qu'il n'aille pas s'imaginer que je venais là seulement pour passer le temps. Au fond, j'étais sur le point de me remettre à travailler. Je n'aurais bientôt plus une minute à moi.

— Ah… Jacques.

— Diane ! Tu parles d'un hasard !

— Je reste à côté.

— Ben oui, c'est vrai…

Il s'est passé une main débarbouillette sur la face.

— J'avais un meeting dans le coin avec des clients… C'est rendu beau, la 3e !

— Oui, super.

— C'est plein de restos pis de petites boutiques…

Depuis Quelqu'un d'autre, Jacques porte toujours des complets dans des teintes impossibles à nommer qui s'accordent parfaitement à tous ses accessoires. Le mot « assorti » est ce qui décrit le mieux l'essence de ses accoutrements. Comme c'est souvent le cas quand on se donne un peu trop dans l'art vestimentaire, le résultat tangue entre le raffinement chic et le quétaine. Ça dépend de l'angle de vue. De dos, ça passe.

— Oui, plein.

— T'as l'air en forme.

— Merci.

— T'as perdu du poids ?

— J'ai l'air en forme *parce que* j'ai l'air d'avoir perdu du poids ou j'ai l'air en forme *et* j'ai l'air d'avoir perdu du poids ?

Je n'essayais plus depuis longtemps d'avoir l'air saine d'esprit à ses yeux : l'année précédente, j'avais attaqué sa pétasse avec un pichet d'eau et démoli une partie de notre ancienne maison à coups de masse. Entre autres choses.

— Ben…

— Non, j'ai pas perdu de poids.

— On dirait.

— T'achètes du lait en poudre ?

Les faux seins compliquaient peut-être l'affaire. Mon petit côté méchant a souri intérieurement.

— C'est pour Terrence.

— C'est vrai, j'avais oublié, comme dans *Candy* !

— Toujours heureuse de ton duplex ?

— Ah ! Mon Dieu, oui…

— On pourrait peut-être aller prendre une bouchée un de ces quatre ?

— Non, je pense pas.

— Diane…

— On est en bons termes, restons-le.

— Les enfants trouvent vraiment ça dur.

— Non, je pense pas. Toi, tu trouves ça dur, toi, tu voudrais qu'on fasse copine-copine ta greluche pis moi pour te décharger la conscience pis vivre à fond ton trip d'homme sur le retour d'âge, pas eux.

— C'est quand même leur frère.

— Pour l'instant, Terrence dort-boit-chie du lait en poudre toute la journée, y s'en contre-torche totalement de ses demi-frères et sœur, qui sont d'ailleurs eux-mêmes en âge de se reproduire au cas où tu l'aurais pas remarqué. À ton âge, on devient grand-papa, pas papa.

— Va falloir que tu passes à autre chose, Diane, t'es pas la seule qui souffre dans cette histoire-là… Faut que tu te refasses une vie, toi aussi…

Me refaire une vie. Plonger dans l'eau glacée aurait été mille fois plus doux. Sa bouche a continué de bouger, mais je n'entendais plus rien. Quand les vibrations de mon téléphone ont réanimé ma main, j'ai laissé par réflexe mes yeux tomber sur l'écran : Charlotte voulait savoir comment s'était passée mon entrevue, ma *petite maman chérie* – avec des émoticônes de chats. Elle ne pouvait pas mieux tomber : les ténèbres qui menaçaient de se répandre et de me donner des airs de pieuvre crevée se sont rapidement dissipées. Et comme le superhéros à moitié mort revigoré au dernier instant par les mots vitrioliques d'un ennemi (« Ton père braillait comme une chochotte quand je l'ai achevé, minable. »), j'ai trouvé la force d'offrir à mon ex-mari, tout de pervenche vêtu, une vision magnifiée de la Diane lumineuse que je pouvais être. Mes séances chez la psy m'avaient enseigné les bienfaits de la projection positive, j'allais en user, en débordant un peu du cadre prescrit, à titre de retour sur mon investissement.

— Jacques (j'ai soufflé intérieurement, *du calme, Diane, du calme*)… j'ai des amis incroyables, une maison que j'adore, une job gratifiante, un nouveau *chum* (il a très légèrement sursauté, moi aussi), je me suis jamais sentie aussi bien, aussi belle, nos enfants sont heureux, en santé, en amour tous les trois, si on m'offrait de rencontrer Dieu en personne, je saurais même pas quoi y demander. Celui de nous deux qui passe pas à autre chose, c'est toi, mon vieux.

Il a plissé le cou, ouvert grand les yeux et la bouche. Au dernier moment, il a resserré son emprise sur le pot de poudre qui tentait une échappée vers le sol. En pleine épiphanie, j'ai profité de l'inspiration pour continuer.

— Je fais partie de ton passé, pis Charlène de ton présent; on vit dans des mondes parallèles pas faits pour se toucher, je sais pas pourquoi tu t'entêtes à vouloir qu'y se croisent. Je suis heureuse sans toi, va falloir que tu l'acceptes. Salue Charlène pour moi, OK?

Je l'ai contourné avant de poursuivre mon chemin, sans me retourner. Je l'ai laissé me suivre des yeux. Ça tombait bien, je m'étais faite belle pour l'entrevue, ce qui me permettait d'offrir une image qui concordait plus au mensonge que je venais de proférer qu'à la bourgeoise désœuvrée et rancunière qu'il m'imaginait être. Physiquement, du moins, côté verso.

J'ai flotté sur mon aplomb jusqu'à la ruelle derrière chez nous, où m'attendait une scène incroyable: Adèle, accoutrée de vêtements en Kleenex à moitié déchirés, frappait un tapis poussiéreux placé à cheval sur la rambarde de la terrasse, comme dans un film de Marcel Pagnol, à cette différence près qu'elle le faisait avec une spatule à barbecue plutôt qu'avec une tapette en rotin. En me voyant approcher, elle s'est mise à tousser exagérément, en se tordant de douleur. J'ai eu pitié, oui, mais pas pour elle.

— Allô Adèle! T'es dans le grand ménage?

— C'est ça, kof kof...

— Ta mère va être contente!

La mère de Claudine est arrivée au même moment, les bras chargés d'un panier à linge débordant de vêtements foncés. À quatre-vingt-quatre ans, elle paraissait beaucoup plus vigoureuse que sa petite-fille, dont les muscles n'avaient jamais connu de plus grosse épreuve que les cours d'éducation physique.

— Bonjour madame Poulin !

— Ah ben, si c'est pas la belle Diane !

— C'est pas un peu lourd pour vous, un panier de même ?

— Arrête-moi ça, je le sens même pas. T'es-ti ben installée, en haut, toé là ?

Rosanne avait toute sa tête, une mémoire précise comme une balance numérique, un tempérament incassable. Elle se levait encore avec le coq pour éplucher ses légumes et préparer sa fournée. L'humanité filait vers son autodestruction sans avoir de prise sur elle. Je l'imaginais très bien campée sur ses deux pieds au beau milieu d'une inondation apocalyptique, comme une certaine petite maison blanche.

— Venez voir ça quand vous aurez une minute.

— Peut-être à 'brunante, quand je serai assez avancée icitte d'dans.

— Grand-maman, pourquoi on prend pas l'aspirateur pour nettoyer les tapis ?

— L'aspirateur ? Ça aspire juste la crasse du dessus. Celle qu'y a dans le fond des cordes reste collée, les puces avec.

— Quelles puces ? On a même pas d'animaux.

— Quand t'auras fini ça…

— J'arrête quand, justement ? Y a tout le temps de la poussière !

— Quand ça *poffera* pus.

— Mais ça finira pas de *poffer* !

— Frappe plus fort. Si c'était fait de temps en temps, ce serait pas long de même. Tu m'accrocheras c'te brassée-là après. Commence par le gros, ça chèsse moins vite.

■

J'ai passé le reste de l'après-midi à regarder mon téléphone, à ouvrir compulsivement tous les onglets du journal et à lire les publicités de la SAQ par le menu détail. Chat de Poche dormait sur le divan, roulé en crevette. Mes espadrilles faisaient le pied de grue dans l'entrée, bien sagement, comme toujours. L'histoire d'amour que nous avait souhaitée le vendeur de la boutique de sport n'était jamais advenue. Elle était vouée à l'échec depuis le début : ma haine de la souffrance physique a toujours été plus forte que mon désir de perdre du poids ou de vivre vieille. L'alternance course-marche avait rapidement cédé le pas à la seule marche, plus à mon rythme. Mon cœur ratatiné mourrait au milieu de mes chairs molles, dans un scénario prévisible dont je serais l'auteure. Par moments, pour me déculpabiliser, je me jetais avec frénésie sur tous les reportages ou articles qui mettaient en garde contre les excès de l'entraînement, comme s'ils racontaient mon histoire ou pouvaient me concerner ; je finissais même par me croire sage en esquivant les mille périls dont l'univers de la course était pavé.

J'en étais à me redraper la peau du cou devant le miroir quand Claudine est arrivée avec un rosé de secours.

— Toc toc ! Y a quelqu'un ?

Je suis venue la rejoindre en maintenant à deux mains ma peau de cou vers l'arrière, pour imiter l'effet d'une chirurgie.

— Regarde, comme ça.

— Comme ça quoi?

— Faudrait juste en enlever un bout de chaque bord, de même, pis recoudre en arrière. Ça paraîtrait même pas.

— C'est pour le beau menuisier que tu veux te faire jeune, ma cocotte?

— Ben non, pas rapport.

— Pis qu'est-ce que tu vas faire avec ta face? Va falloir que tu fasses quèque chose, sinon ça va *clasher*.

— Ouin…

— Pis une fois le haut refait, va falloir que tu descendes pour que le reste *fite* aussi. Le poitrail plissé, les ça-suffit ballottants sous les bras, le ventre, le gras de jambe qui pendouille…

— OK. Qu'est-ce qu'on boit?

— Du rose, ma jolie, comme la vie. Si t'as pas la job, on se trouvera des rénos à faire.

Je lui ai raconté mon entrevue avec Andrée, chaque mot de ma rencontre avec Jacques.

— À peut pas allaiter avec ses gros tetons en plastique?

— Ou à veut pas se lever la nuit, pour pas être cernée. Y ont peut-être une nounou, ça expliquerait la poudre.

— Tu y as ben répondu. Quin! le vieux crisse! Din 'dents! Refais-toi une vie toi-même!

Nous n'avions pas fini d'écluser notre premier verre que Rosanne se pointait avec une grosse casserole bouillante posée sur une mitaine à four. Même pas essoufflée.

— Maman ! Tu vas te faire mal avec ça ! T'aurais dû me le dire !

— Ben voyons donc ! Le jour où je pourrai pus charrier un chaudron de soupe, j'espère que vous allez m'enterrer.

— C'est de la soupe à quoi ?

— Un tout-ce-qui. J'ai fait ton ménage de Frigidaire.

— Maman, t'es supposée te reposer.

— Je me reposerai ben assez quand je serai morte. C'était un vrai bordel là-d'dans ! Pas capable de trouver la margarine.

— On a juste du beurre, m'man. T'aurais dû demander à Adèle de le faire, le ménage du frigo. Tu supervises, toi, tu travailles pas.

— Arrête ça, pauvre enfant ! Les mains pleines de pouces de même, ça fait presque pitié, vous l'avez trop gâtée. 'Est même pas capable de changer le rouleau de papier de toilette.

— Vous prendrez ben un petit verre de rosé, madame Poulin ?

— Enweille donc, ça peut pas faire de tort ! T'as-ti mélangé tes fonds de blanc pis du rouge ?

— Non non, ça se vend de même au magasin.

— Ben c'est le vendeur qui les mélange, d'abord, à moins qu'y mette ben de l'eau dans son rouge. M'as goûter à ça, m'as te le dire…

Je venais de nous servir à chacune un bol de soupe quand les ostimans se sont installés aux abords de la ruelle, sur leurs habituelles banquettes de voiture défoncées, avec leurs rituelles King cans. À des années-lumière du couple de retraités nocturnes scotchés dans leurs rideaux que j'avais eus comme voisins pendant la dernière décennie de mon ancienne vie. Les gars débarquaient là pratiquement tous les soirs, sauf quand il pleuvait, et s'époumonaient en radotant des banalités qui ne puisaient pas plus d'une vingtaine de mots dans le dictionnaire. Bien que le vent rabattait souvent leur voix jusqu'à nos terrasses, nous n'arrivions jamais à comprendre de quoi ils discutaient exactement.

— Osti, *man*... le gars est arrivé... osti t'aurais pas cru ça, *man*... avec toute son affaire, *man*... osti qu'y fait chier...

— Le même osti de gars?

— Ben oui, *man*! Attends, l'autre aussi, *man*, un osti de gnochon...

— *Come on*, *man*, tu me niaises?

— OSTI, *MAN*! PANTOUTE! LA MÊME OSTIE D'AFFAIRE, *MAN*!

Pendant que nous tendions une oreille distraite à cet embrouillamini de sacres et de bouts de phrases sans queue ni tête, Adèle avait réussi à se hisser jusqu'à notre hauteur.

— Ouin, vous êtes ben! J'suis toute seule à torcher en bas pendant que vous vous la coulez douce. C'est le *fun*...

— Allô chériiiiiie!

— Sérieux, demain je fais pas la bonne pour tout le monde, j'suis pas une servante, j'ai des droits.

— Pis des responsabilités, ma belle.

— Vous avez pas le droit de me séquestrer pis de me faire travailler comme une esclave. En plus, j'suis mineure, c'est dans 'Charte des droits et libertés, je me laisserai pas faire de même!

On ne l'avait jamais vue déployer autant de fougue pour faire ou dire quoi que ce soit de toute sa vie. Au lieu d'envoyer promener sa mère, comme elle avait coutume de le faire quand elle était contrariée (on se serait attendues à quelque chose comme: « Je les ai dans le cul, tes responsabilités ! »), elle se défendait avec un argument qui relevait du droit civil. Épatant. Malheureusement pour elle, sa grand-mère avait la réplique facile. Avec un petit verre de rose dans le nez, elle devenait carrément poétique.

— Amène-moi-la, ta Charte, m'as te rouler des cigares au chou avec !

Claudine a recraché son vin en s'esclaffant. Par un jeu de contractions des muscles, j'ai réussi à avaler la gorgée que je venais de porter à ma bouche. Le temps qu'on retrouve notre souffle, Adèle avait déjà disparu au rez-de-chaussée. Les ostimans, sur qui le fracas de la porte claquée était allé ricocher, ont suspendu leur échange philosophique pour s'assurer de ne pas manquer un début de chicane. Madame Poulin ne semblait pas très impressionnée.

— Y a des coups de pied au cul qui se sont pardus à quèque part sartain.

— M'man, commence pas…

L'heure bleue s'installait quand j'ai eu l'appel tant attendu. Je me suis réfugiée à l'intérieur, pour vivre en solitaire les premières secondes de mon émotion, quelle qu'elle soit. Andrée me demandait si je pouvais me pointer pour six heures trente le lendemain matin. Trois *shifts* par jour, matin-midi-soir, coupés par des pauses, comme une tarte.

— J'AI LA JOB ! J'AI LA JOB !

— Je le savais ! T'es trop *hot*, la vieille !

Claudine m'a fait le un signe du diable de chaque main.

— Osti, *man*, t'es trop *hot*, *man* !

— Je travaille demain… ça fait bizarre…

— On s'en va fêter ça ! Tout le monde À la Casserole !

— Venez donc manger en bas à 'place, j'ai préparé un gros chaudron de sauce à spag.

— On va la congeler, maman, c'est pas perdu, tu viens avec nous autres. Tu vas triper sur leur cassoulet.

— Coudonc ! Vous êtes pas capables de boire pis de manger simple, comme tout le monde ? Me semble que c'est toujours des affaires compliquées.

— C'est des grosses bines blanches avec ben de la viande. Tu vas adorer.

— Ah ben ça, des bines, quand c'est ben cuit, on se trompe pas. Y ont-tu du petit rose, là-bas ?

— Faut rincer avec du rouge, pas le choix.

Adèle n'a pas daigné nous accompagner, trop végé et trop occupée à ruminer le calvaire de sa vie d'esclave, avachie dans son lit à baldaquin, le téléphone dans une main et son smoothie Organic Tutti V10 à huit dollars cinquante dans l'autre (payé par la marâtre, bien sûr). Le marchand de fruits et légumes du coin avait trouvé le moyen de refiler ses invendus : il les passait au broyeur et les vendait à fort prix sous des noms qui faisaient oublier leur laideur et leur manque de fraîcheur.

Une fois de retour à la maison, déraisonnablement enivrée pour une veille de retour au travail, j'ai enlevé mes bas et tâté mes talons ; la peau avait retrouvé un peu de sa souplesse, les entailles avaient suffisamment cicatrisé pour retenir le sang qui passait par là. J'étais prête à sauter dans le tas.

5

Où je me transforme en princesse.

Ce que j'allais découvrir en travaillant à l'école, Jacinthe, ma charmante ex-belle-sœur qui m'avait pendant des années abandonné ses deux petits monstres tous les mercredis, en dépit de l'absence d'invitation à le faire, me l'avait déjà enseigné: le problème avec les enfants, c'est souvent les parents.

J'accueillais tout juste le troisième élève qui faisait partie de ce qui allait devenir officiellement «mon» groupe qu'Andrée me lançait dans les pattes d'une maman inquiète qui tenait à parler à l'éducatrice.

— Vous êtes la nouvelle éducatrice?

— Oui, je m'appelle Diane. C'est ma première journée, enchantée!

Mauvaise idée, la franchise naïve. Les parents des tout-petits – classe de maternelle, environ cinq ans, hauteur mi-cuisse – n'aiment pas abandonner le fruit béni de leurs entrailles à des «premiers jours en poste». Ils préfèrent la stabilité, l'expérience longuement acquise, les compétences avérées; en clair, ils souhaitent qu'on se soit fait les dents sur les enfants des autres. Ça se comprend.

Une jeune vieille qui débarque de nulle part à la troisième semaine de septembre avec des yeux injectés de sang n'a rien pour rassurer. La mâchoire de la pauvre maman, relâchée une fraction de seconde par l'effet de la déception, n'en a pas moins réussi à se figer en un faux sourire aux accents qu'on devinait professionnels.

— C'est vous qui allez prendre le groupe pour le reste de l'année?

— Si tout va bien, oui.

— Ça fait trois semaines que ça change presque tous les jours, c'est psychologiquement insoutenable pour les enfants. Célyane est toute déboussolée…

— Je comprends parfaitement, madame, on travaille à stabiliser tout ça, le contexte est pas facile.

— Bon… Je voulais vous parler parce que Célyane file pas ben fort ce matin. En passant, ça s'écrit avec un «y».

Sans cette précision, j'entendais CELI-Anne, comme dans Compte-d'épargne-libre-d'impôt-Anne. Certaines fantaisies orthographiques sont plus utiles que d'autres.

— Qu'est-ce qui se passe, au juste?

— Elle a mal au ventre.

— De la diarrhée, des vomissements?…

— Non non non, un mal de ventre ordinaire, comme tout le monde.

Première nouvelle que j'en avais: tout le monde a mal au ventre. Par réflexe inconscient, j'ai posé ma main sur le petit renflement de mon tour de taille.

— OK.

— Faut juste qu'elle se repose.

— Elle serait pas mieux à la maison pour se reposer?

— Non non non ! C'est important pour elle de voir ses amis.

— Sauf que quand on est malade…

— Je lui ai fait un billet de toute façon, tenez.

— Un billet pour ?…

— Pour avertir madame Sophie.

— Ah…

— La prof de Célyane.

— Oui, ben oui, s'cusez.

— Comme ça, si elle se sent pas assez en forme pour faire une des activités pendant la journée, elle pourra être exemptée.

— Comme quoi ?

— L'éducation physique, par exemple, ce serait peut-être préférable qu'elle reste tranquille, pour pas aggraver son mal.

— Quel mal ?

— Le mal de ventre.

— Peut-être que ça lui ferait du bien de bouger, au contraire…

— Ça marche pas comme ça avec Célyane.

Il y avait peut-être eu des mutations génétiques depuis le temps. J'allais devoir faire preuve d'ouverture, Charlotte avait raison.

— Courir amplifie son mal.

— C'est inquiétant, ça, non ?

— Non, non non.

— Vous avez consulté un médecin ?

Elle m'a présenté son front sévère, son sourire crispé. Le genre de femme capable de crever des yeux au besoin.

— Évidemment.

Ça sentait la *bullshit* à plein nez, mais je ne voyais pas comment la faire trébucher dans son boniment sans trop la contrarier. Mon fils Antoine avait brûlé une partie de son imagination, de la maternelle au cégep, à s'inventer des maux pour échapper à l'éducation physique, de la phobie des ballons au cancer du cerveau, rien de moins, je connaissais donc un peu la chanson. Je n'avais cependant jamais participé à son système de mensonges, j'en avais toujours été la plus outrée. Mais je me suis sagement rappelé que je n'avais pas encore une heure d'ancienneté derrière la cravate et que les ennuis pouvaient attendre un peu. Andrée m'avait d'ailleurs servi une subtile mise en garde, juste avant l'arrivée des petits, un chuchotement bienveillant chargé de sous-entendus: «Pars avec l'idée que les parents sont des clients qui ont toujours raison, pis ça va ben aller.» L'éducation des enfants et la fraîcheur du poisson, même combat.

— OK, je me charge de remettre le billet à la prof, inquiétez-vous pas.

— Merci.

— J'imagine que si le mal de ventre augmente démesurément, même sans éducation physique, on vous appelle?

Dans le coin de mon œil droit, pendant notre conversation, Devan essayait de faire exploser la tête d'une poupée en la fouettant violemment au sol. On ne lui avait probablement pas encore montré la différence entre ce type de jouet, conçu pour être dorloté, et un marteau. La grosse cruche de Kool-Aid Ice Cool imprimée sur son t-shirt continuait de sourire, imperturbable – les jeux de mots sont souvent à la hauteur du produit. Andrée est intervenue au moment où la couture du jouet cédait. La tête de Chucky est allée taper dans la bibliothèque du coin relaxation, les yeux désaxés.

— Je pense pas que vous en viendrez là, c'est juste un petit mal de ventre ordinaire. Comme je vous l'ai dit, si on la laisse se reposer, ça va aller. Pis je risque d'être difficile à rejoindre aujourd'hui.

Et rebelote, le sourire de pro en simili plastique. Elle avait cette fois un peu serré les dents. Je l'ai saluée de la tête, à la japonaise, ce qui a eu l'heur de lui plaire. Elle a battu des paupières et pivoté sur elle-même, avant de fuir sur ses talons quatre pouces.

Les quinze derniers enfants sont arrivés à tour de rôle, les uns avec leur sac à dos trop grand, les autres avec leur moustache de lait, leur envie de pipi pressante, leurs yeux boursouflés de larmes et de sommeil, leurs désirs confus et désespérés d'être grands tout en restant petits, leurs besoins de s'exprimer soumis à l'électricité de leurs cerveaux en ébullition. Même s'ils ne me connaissaient pas, ils voulaient tous me dire ce qu'ils avaient dans leur lunch, me parler de leur chat, me montrer leurs nouvelles dents, leurs barbouillages-dessins, leurs souliers qui s'allument en marchant, leur Band-Aid de la Reine des neiges ; ils ne pouvaient s'empêcher de courir, de sauter partout et un peu plus intensément sur le *bean bag* du coin lecture – que j'ai eu envie de défenestrer au bout d'une heure –, de vouloir le jeu ou le livre du voisin et de parler tous en même temps. En criant, évidemment, pour attirer mon attention. Ils étaient, bref, fabuleusement vivants, et je ne pouvais le leur reprocher ; il n'y a rien de plus épuisant qu'un enfant larve à qui il faut d'abord, en plus de tout le reste, insuffler de la vie. La vue de ce chaos avait donc tout pour me rassurer : les enfants n'étaient peut-être pas si différents de ceux que j'avais connus dans le millénaire précédent.

Certains élèves sortaient tout de même du lot, comme le petit Pavel, avec ses yeux bleus délavés, qui ne disait pas un mot. Il fonctionnait à peu près normalement, souriait et s'amusait même, mais sans qu'aucun son parvienne à franchir ses lèvres. Physiquement, tout était fonctionnel, les médecins avaient été formels. Comme son passage en francisation n'avait pas permis de lui arracher la moindre syllabe, les autorités avaient cru que son insertion dans une classe régulière permettrait de le « dégivrer », de venir à bout, à coup de normalité, du nœud qui s'était formé à l'embouchure de la sortie. On attendait, à défaut de savoir quoi faire de plus. Andrée me faisait des topos en accéléré pour que j'attrape le train en marche. Et dans son coin, transparente comme la brise, Julia comptait et recomptait une pile de bouts de carton qu'elle tenait dans ses petites menottes.

— La mère a demandé qu'on y laisse.

— Qu'est-ce qu'y a, sur ces cartes-là ?

— Des licornes, des bonhommes en guimauve, n'importe quoi. Je pense pas que c'est ben important, à les regarde pas, à fait juste les compter.

— Tout le temps ?

— Chaque fois qu'y a une nouvelle consigne, qu'on change de local ou d'activité, c'est comme un mot de passe, si à compte pas, à bouge pas. Une fois que c'est fait, à fonctionne.

— Est-ce qu'elle a un diagnostic ?

— Tic nerveux.

— Ben voyons, tic nerveux…

— T'en parleras à Sophie.

En plus des particularités liées aux personnalités des élèves qu'on me confiait, j'allais devoir tout apprendre: la routine associée à chaque activité de la journée, la paperasse à remplir en cas d'incident, la mécanique de rotation de locaux, les horaires, les codes de vie, l'utilisation et le rangement du matériel, les mille et une subtilités des relations qui régissaient les organisations de la boîte ainsi que toutes celles incluses dans mon contrat renouvelable tous les trois mois (ce qui, à tout prendre, m'arrangeait: si je ne tenais pas le coup, j'aurais une porte de sortie officielle). Andrée glissait ici et là des noms de profs et d'éducatrices – zéro éducateurs – qu'elle me pointait discrètement dans les corridors et dans la cour d'école pour que je puisse savoir à quoi m'en tenir. Je n'ai pas retenu grand-chose de cette énumération, sinon qu'il fallait fuir madame Kathleen, une *bitcheuse* olympique qui sévissait en sixième année B et crachait son fiel au petit bonheur des potins qu'elle attrapait ou lançait comme des bombes. C'était une femme sans âge qui traînait une aigreur capable d'empuantir les atmosphères les plus fleuries.

Quand madame Sophie est arrivée, du haut de ses vingt-sept ans et demi (je n'ai pas pu me retenir de lui demander), avec ses cheveux de sirène et son teint de plein air, je me suis tout à coup sentie très vieille. Par quelque raté de mon imagination, j'avais cru que madame Sophie répondrait à l'idée archaïque que je conservais malgré moi de la maîtresse d'école, avec petite laine et chignon serré. Je lui ai tendu le billet de Célyane. Elle a lu le nom, baissé les yeux, soupiré en laissant filer un « encore » à peine audible dans les dernières molécules de son souffle. La mi-septembre avait des airs de novembre. À cette vitesse-là, elle chevaucherait le demi-siècle d'épuisement bien avant la cinquantaine.

Je suis revenue à la maison pour une petite sieste régénératrice avant d'attaquer l'heure du lunch. Demeurer à quelques pas de l'école présentait d'indéniables avantages. Et mon Chat de Poche m'attendait, sur le pas de la porte, avec un ver de terre de la taille d'une couleuvre dans la gueule. À une autre époque, j'aurais reçu des fleurs. Quand on refait sa vie, on a les gratifications qu'on peut.

Comme prévu, l'heure du dîner m'a offert d'inénarrables occasions d'être inventive, débrouillarde et patiente comme jamais : certains enfants ne reconnaissaient pas leur boîte à lunch, d'autres l'avaient égarée ; la microscopique Éléonore s'est mise à hurler comme si on l'éviscérait quand elle a vu qu'il y avait du fromage dans son sandwich, Loïc s'est enfoncé trois raisins secs dans le nez que j'ai été forcée de repêcher avec ma pince à sourcils, Tarek s'est mis à cracher par terre en se grattant la langue quand il a mordu dans un oignon (?!?) de la taille d'une pomme, Léah et Fauvèle (!?!) ont fait une scène pour ne pas manger avec Louane – « Son lunch pue ! » –, Coralie pleurait parce qu'elle avait encore faim après son wrap au thon gros comme mon pouce – « Tiens, prends mon sandwich, ma belle… » – et Devan, Devan… a fait de l'art en sautant à pieds joints sur sa boîte de jus. Pour tout secours : l'horrible papier brun impropre à absorber quoi que ce soit. L'une des mères avait laissé des instructions pour le service du repas de son enfant: «Faire chauffer sans le couvercle 1 minute 30 au micro-ondes (ou 90 secondes). Découpez les pâtes en petites bouchées tout en mélangeant avec la sauce. Laissez ce qui reste à la fin du repas dans le plat pour que je puisse évaluer la quantité mangée. Ne pas lui donner le pouding au chocolat s'il n'a pas mangé au moins la moitié des pâtes. Incitez-le à manger un fruit. Merci. Laure (maman de Laurent).» Le temps que je me tourne vers Andrée pour lui montrer la note, le petit avait fini d'avaler son pouding, en partie étendu sur le côté droit de son visage que nous avons dû nettoyer, pauvre enfant, au papier brun. Il n'a jamais voulu toucher à ses pâtes.

— Ça arrive en début d'année avec les premiers de famille. Je mets son nom sur la liste des parents qu'on va essayer d'attraper ce soir pour les mises au point.

— On leur dit quoi?

— Sandwich ou thermos pour le chaud, avec aliments déjà coupés. Pis comme c'est écrit dans les dix-huit exemplaires des règlements qu'on a envoyés à tout le monde, les seuls desserts autorisés sont les fruits, le fromage pis le yogourt. Pas de *peanuts*, pas de noix, pas de sésame, rien, jamais, sous aucune forme, pour aucune raison. On va aussi mettre les parents du petit Lucka sur la liste.

— Pour?

— Ah? Tu l'entends pas?

Elle a placé une main en entonnoir sur son oreille en la dirigeant vers le coin toilette aménagé au fond de la classe. Transcendant la cacophonie des petites voix qui riaient, jouaient, chialaient sur tous les tons, une ligne de syllabes répétées filait jusqu'à nous de manière entêtante.

— J'ai fini ! J'ai dit : j'ai fini ! J'AI FINI ! J'AI FINI-E !

— Non !

— En effet, non. L'enfant est tenu de pouvoir s'essuyer tout seul en maternelle. Donc on parle aux parents.

— À ceux de Devan aussi, j'imagine ?

— Bonne idée. Pis tu sais quoi ? Je vais te laisser le bonheur de le faire.

— Mais c'est ma première journée avec lui.

— Bah, toutes ses journées se ressemblent depuis le début.

— Mais ça fera pas crédible, j'suis nouvelle.

— Dis-le pas, y le sauront pas.

— Pourquoi j'ai l'impression que tu les connais ?

— Parce que t'es une fille intelligente.

Elle me servait du « fille » généreusement, elle qui avait aussi un bel accordéon de rides autour de la bouche quand elle souriait. Des rides plus souples, plus sombres, plus belles. La peau blanche fripe moins bien.

— Y a un frère en deuxième année.

— Oh ! Laisse-moi deviner : Kevin.

— T'es pas loin : Jason.

— *Friday the 13th* ! Mon Dieu…

— Je te gage cinq piasses que tu pourras pas deviner ce que le père va te sortir pour expliquer pourquoi son petit chou se comporte de même.

— TDAH ?

— Ben non, ça aurait du sens.

Après avoir cédé ma place à madame Sophie dans la classe, je me suis dirigée vers l'aile en rénovation où se concentraient les cinquième et sixième années. En sortant le *ice pack* de ma sacoche, je suis tombée sur mon téléphone. « Oublie pas, 5 à 7 à l'Igloo. Viens directement quand tu finis, je vais arriver de bonne heure. *Stay focused : frenchage.* Clau xx » Comme si j'allais pouvoir me pointer là habillée en semi-mou, pas maquillée, pas de talons. Jim est passé au même moment, un énorme rouleau de ce qui semblait être du fil électrique sur son épaule bandée par l'effort. Même au travers de son chandail, les muscles arrivaient à dessiner de gentils petits vallons. Légèrement enfoncé sur ses yeux, son casque lui donnait un air fauve. La fonction « ralenti » disponible sur à peu près toutes les machines n'existe pas dans la réalité, c'est un retard technologique tout à fait déplorable.

— Bonjour Jim !

— Ah ! Salut Diane !

Il se souvenait de mon nom, ça m'a émue.

— Je te rapportais ton *ice pack*, le petit l'a gardé longtemps, finalement.

— Pas trop magané, le *kid* ?

— Non, ça va aller.

— Excuse-moi, faut que je monte ça aux *boys*.

— Je te mets ça dans ta glacière. Guy est dans le coin ?

— Aux échafaudages, côté ouest.

— Merci.

J'ai mis du temps à le repérer dans le tas de ceux qui transportaient les montants métalliques et charriaient les énormes planches de bois qui serviraient de trottoirs aériens sur la mégastructure qu'ils érigeaient. La portion de mur sur laquelle ils travaillaient était clôturée, évidemment, pas moyen d'approcher. À quelques pas d'une cour d'école, il fallait assurer un périmètre de sécurité à toute épreuve. Impossible de tomber sur lui « par hasard » et d'échanger quelques banalités. J'étais sur le point de faire demi-tour quand un grand « Hé ! » est parvenu jusqu'à moi.

— Diane !

C'était lui, du moins son bras levé dans les airs. Il est venu vers moi, empanaché par la force gracieuse de ses enjambées puissantes. Les hormones ont ce pouvoir fascinant de faire chatoyer ce qu'on trouverait d'une banalité déconcertante sans elles. Et les miennes, malgré la mort annoncée de mon système reproducteur, venaient d'enclencher un cycle de multiplication spontanée qui mettait à mal mon équilibre physique et mental. À preuve, j'avais les doigts crochetés dans une clôture de construction, le bas-ventre en émoi et les joues rougies en regardant un homme charpenté comme un fermier prospère marcher vers moi sous les sifflements moqueurs de ses collègues. J'aurais voulu filmer la scène pour Claudine. Le calme plat qui sévissait dans ma vie la veille encore venait de passer au défibrillateur. Merci, docteur.

— Hé hé ! Ça va ? C'est moi que tu cherchais ?

— Je passais juste te faire un bonjour.

— C'est gentil.

— Je travaille au service de garde, j'suis en pause une partie de l'après-midi.

J'ai pensé à la sieste que j'avais projeté de faire, à la chair moelleuse de ma couette qui se ferait galette sous mon poids quand je me laisserais tomber dessus. Il m'a montré ses belles dents en s'agrippant d'une main au grillage. J'ai avalé du mieux que j'ai pu. Fallait que je trouve quelque chose d'inspiré pour donner à la conversation une tournure souhaitable.

— Faites-vous aussi la brique ?

— Non, on est rendus aux fenêtres.

— Méchante job…

— C'est des vieux systèmes de fenêtres, c'est plus complexe à démonter.

— J'imagine.

Bravo, belle tournure, Diane.

— Je me demandais…

Je n'avais aucune idée de ce que je m'apprêtais à dire, un saut en parachute avec pas de parachute.

— Je me demandais si…

— *BOSS* ?

Sa tête a tourné comme un ressort qui pète.

— LA LIVRAISON ! LA REMORQUE ATTEND EN AVANT !

— S'cuse-moi, faut que j'y aille, c'est mon bois.

— Vas-y, vas-y, on se parle tantôt.

Il est reparti au pas de course, en criant des ordres. Il y aurait eu un mort qu'il ne se serait pas davantage pressé. En arrivant dans la rue, j'ai mieux compris l'urgence : deux plates-formes grosses comme des paquebots barraient complètement le passage. Les automobilistes piégés derrière s'impatientaient déjà, saturant le fond sonore de leur habituelle et inféconde symphonie de klaxons. Le chauffeur d'une Honda Civic rouge pompier à la croupe surmontée d'un aileron sport, le corps à moitié sorti par la vitre baissée, criait des injures au convoi immobilisé devant lui.

— Crisse de gang de morons ! Tassez-vous de d'là ! Vous prenez le monde en otage, maudits amateurs de marde ! Faut barrer la rue au coin, pas dans le milieu ! Je gage que vous avez même pas vos cartes, ostie de gang de débutants innocents !

— HÉ ! LES NERFS !

C'était sorti tout seul, comme un rot imprévisible. La défibrillation avait réveillé en moi toutes sortes de monstres.

— Ça va pas aller plus vite parce que tu gueules !

— De quoi je me mêle, crisse ?

— T'es devant une école, y a des enfants à toutes les fenêtres !

— Y ONT JUSTE À DÉGAGER !

— T'AS PAS REMARQUÉ QU'Y DÉCHARGENT DU BOIS ?

— Y ONT PAS D'AFFAIRE À BLOQUER LA RUE DE MÊME !

— T'AS PAS DE RECULONS SUR TON CHAR, MAUDIT SANS-DESSEIN ? JE GAGE QUE T'AS PAS DE PERMIS DE CONDUIRE ?

— SCRAME, VIEILLE CRISSE DE FOLLE, J'AI PAS D'AFFAIRE À RECULER !

J'étais, en un seul mot, dégoupillée. Mon pied est parti, incontrôlable, dans la porte du conducteur. Avec une masse, j'aurais fait beaucoup mieux.

— Ah ben TABARNAK !

Il est sorti de l'auto armé d'un pied-de-biche. La petite trentaine, les traits durs, quelque chose de fou dans l'œil, une tête de pas commode. Une nuit noire régnait sur les vitres de son bolide aux roues surdimensionnées. Il tenait mollement l'outil, comme quelqu'un qui s'apprête à se prendre de l'élan. Deux travailleurs sont arrivés au même moment, les poings fermés, suivis de Guy, tout sourire.

— Hé ! Mon *chum* ! Je pense que tu serais mieux de retourner dans ton char.

— La crisse de *bitch* a fessé dessus !

— Y a rien, ton char. Sacre ton camp.

— Ma câlice, toé, m'as t'arracher la tête…

— Là, t'es armé, pis tu fais des menaces devant ben des témoins pis ben des téléphones, mon *chum*, j'espère que t'es en règle avec la police.

Un léger spasme a parcouru ses épaules. Les autres gars du chantier se sont rapprochés, doucement, comme dans une chorégraphie de *West Side Story*. Quelque chose dans la sonorité du mot « police » lui avait grafigné l'arrogance. Il a serré les dents, levé son doigt d'honneur libre.

— Je te demanderais ben de faire des excuses à madame, mais j'imagine que t'es pressé.

Il a reniflé et s'est raclé la gorge pour mieux cracher sa rage à nos pieds, en un tas bien juteux, gélatineux même.

— Je pense que t'as un problème avec les bonnes manières en général, mon *chum*.

Une fois derrière le volant, il nous a resservi un doigt d'honneur et quelques chapelets tout en reculant, le cou tordu. L'un des travailleurs, une petite merveille aux joues roses, m'a saluée en pinçant le bout de son casque. Guy est venu me voir.

— Super, le coup de pied !

— C'est parti tout seul. J'avais envie d'y sauter dessus. T'es tellement calme, toi, comment tu fais ?

— Avec de la graine de même, ça vaut pas la peine de s'énerver.

Il me souriait par en dessous, comme les beaux mecs des feus catalogues Sears. Il en avait vu d'autres, ça se voyait de partout, dans sa force tranquille comme dans la maîtrise de sa voix.

— J'y retourne. Merci encore, Lady Di.

Sa main s'est à nouveau posée sur mon bras, furtivement. Dans un film, je lui aurais sauté dessus, on se serait *frenchés* à grande bouche sur une toune archi-connue arrangée pour ukulélé. Dans la vraie vie, j'ai fait ce que je pouvais. J'ai sauté sur mon téléphone dès qu'il y a eu quelques mètres entre nous.

— Tu me croiras pas.

— T'as déjà perdu ta job ?

— J'ai failli me battre !

— Te battre ? Contre qui ?

— Une graine. C'est pas important. Mais devine qui m'a défendue ?

— Tu travailles pas dans une classe de maternelle ?

— Devine !

— Le concierge.

— Mais non, quelqu'un qu'on connaît.

— Céline Dion !

— Niaiseuse… Guy ! Le menuisier !

— T'as failli te battre avec une graine pis Guy t'as défendue ? Grosse journée au bureau !

— Pis attends, devine comment y m'a appelée ? Lady Di !

— Ah.

— *Come on* ! Lady Di !

— C'est une princesse qui a fini *crashée* dans un mur.

— Morte à quel âge, la belle princesse ? Trente-six petites *candles in the wind*. Ça s'appelle comment, ça ?

— Mourir jeune.

— Ça s'appelle un gros paquet de compliments en trois syllabes.

— Ou l'art de se faire des histoires avec trois syllabes.

— Je te laisse, j'ai rendez-vous chez Sabrina.

— Tu vas te faire faire un brushing pour le beau Ji-Pi ?

— Comment ça, Ji-Pi ?

— Le cinq à sept !

— Merde ! J'oubliais !

Mes yeux sont tombés sur mes *loafers* en tissu joliment striés de compote aux framboises. Ou de sauce tomate. Ou les deux.

■

— Ça t'allait bien, les mèches grises, ça se fondait avec tes cheveux naturels.

— Ça fait trop vieux, j'suis pus prête.

— C'est la mode, les jeunes se teignent en gris !

— Justement, j'suis pas jeune.

— Le cinquante d'aujourd'hui, c'est le trente de nos parents.

— Grands-parents.

— Tu comprends.

— Je me suis fait traiter de vieille crisse de folle aujourd'hui.

Les trois autres clientes installées aux chaises et à l'évier se sont tournées vers nous. Toujours très intimes, les séances chez la coiffeuse.

— Par un gros cave ?

— Oui, mais n'empêche. J'ai même pas cinquante.

Elle a fait pivoter la chaise pour me faire face et prendre les précautions habituelles, yeux dans les yeux.

— OK. Qu'est-ce qui se passe ?

— J'suis pas menstruée, inquiète-toi pas.

— Tu vas gâcher plus qu'un an de travail en remettant une couleur là-dessus, faut que tu me dises quèque chose.

— J'ai juste le goût de changer de tête.

— On a jamais juste le goût de changer de tête, c'est toujours un symptôme d'autre chose, on en a déjà parlé.

Je lui ai fait un sourire niais.

— OK, ç'a l'air positif, j'aime ça. Tu pensais à quoi ?

— Blond foncé.

— Blond foncé ? Comme qui ?

— Pourquoi, comme qui ?

— Y a toujours une raison, au minimum une inspiration.

Pour échapper à sa redoutable perspicacité, j'ai fait le tour de mes connaissances, anciennes et nouvelles.

— J'ai une collègue, à l'école…

— Hum hum…

— … qui a vraiment des beaux cheveux, fournis comme les miens, mais blond foncé, châtains méchés blonds en fait…

— Pis tu dirais que les cheveux de ta collègue ressemblent aux cheveux de qui ?

— Qu'est-ce que tu veux dire ?

— Est-ce que t'as une photo de ta nouvelle collègue ?

— Ben non, je viens d'arriver, j'aurais pas osé la prendre en photo…

— Donc faut trouver quelqu'un de connu qu'on peut voir sur Internet pour se faire une idée de la couleur.

— Ben… ouf, je fais le tour là… hum… peut-être… ouin…

— Enweille, vas-y.

— Lady Di ?

— *Oh boy* ! Tu veux la tête à Lady Di ?

— On parle de couleur des cheveux, pas de coupe.

— J'espère ! Mais même pour la couleur, ta collègue est un peu en retard…

Elle m'a fait un clin d'œil. Pas moyen de ruser avec Sabrina. Les psys et les coiffeurs devraient faire équipe, offrir leurs services dans des bureaux connexes, comme les médecins et les pharmaciens.

— Va falloir que tu reviennes, on aura pas le temps.

— Comment ça ?

— J'ai besoin d'un bon trois heures, faut que je fasse ça en deux étapes de décoloration, sinon, tu vas avoir un blond jaune pisse que tu vas haïr longtemps longtemps. La tête à Cyndi Lauper, ça te tente ?

— Néo.

■

Je suis revenue à l'école bien avant la fin des classes, Andrée avait encore tant de choses à me montrer. Madame Sophie avait profité de la récréation pour lui glisser un mot du plan d'intervention qu'elle souhaitait mettre en place pour Devan ; elle n'en pouvait plus de le voir nager la brasse couché sur une table pendant que les autres essayaient de travailler – dans le sens de découper, coller, dessiner. Avec un tir groupé de tous les intervenants, on risquait plus de convaincre les parents de se montrer coopératifs. À les entendre s'organiser, ce ne serait pas de la tarte.

Dans le parfait chaos de la fin de journée, avec pour trame de fond le flux perpétuel des noms d'enfants répétés dans le brouillard neigeux des walkies-talkies, j'allais devoir apprendre à scinder mon attention en une multitude de pôles. J'aurais eu besoin de deux-trois bras de plus, de jambes plus souples, d'yeux bioniques. Quand le nom de Devan a retenti dans la grêle des ondes, je consolais la petite Léah qui s'était « *scatché* le coube », gérais d'un œil une partie de soccer surréaliste – les petits couraient avec le ballon dans les mains – et tançais les grands de cinquième qui refusaient qu'Éléonore fasse la file pour le ballon-poire. Andrée a pris le relais en levant le pouce, attrapant son émetteur-récepteur de l'autre main.

— Sylvie, pourrais-tu demander au parent de Devan de se présenter à la porte arrière s'il te plaît ? On aurait besoin de parler à maman ou à papa.

— 10-4, je vous envoie le papa.

Je me suis dirigée vers la porte située tout au fond de la cour. Un homme en complet *charcoal*, tête fière et toupet à la David Beckham, a posé son pied bellement chaussé sur l'asphalte en frottant ses mains l'une contre l'autre. Je devinais qu'il n'avait rien à voir avec Devan – la couleur des yeux, surtout –, mais j'ai joué l'innocente pour avoir le plaisir de l'entendre parler.

— Bonjour ! Vous êtes le papa de Devan ?

— Bonjour ! Non, le papa d'Éléonore.

Chouette, un de *mes* papas.

— Oh ! Enchantée ! Je m'appelle Diane, j'suis la nouvelle éducatrice d'Éléonore.

— Ah ! Enchanté, madame !

— Elle est avec le reste du groupe, au fond, là-bas.

— Comment ça s'est passé aujourd'hui ?

— Bien, très bien même. Là, elle pleure un peu, mais c'est juste à cause du ballon-poire.

— Ah oui ! Elle m'a parlé de ça, le jeu de la poire.

— Vous connaissez pas ça ?

— Non.

— C'est le jeu qu'on voit là-bas, le poteau métallique avec le ballon qui tourne autour, en forme… de poire.

Andrée disait ballon-couille. J'ai essayé très fort de ne pas y penser. À l'époque, c'était ballon-prisonnier obligatoire pour tout le monde. La notion de jeux libres était légèrement plus limitative. Il n'y avait pas un pouce carré d'asphalte pour s'ennuyer tranquille. Pas d'arbres ni modules ou bancs urbano-cool sculptés dans des bois locaux pour *chiller* confortablement. Mais je comprends qu'on ait éliminé le ballon-prisonnier, c'est un jeu à bien des égards cruel qui reproduit les lois élémentaires de la nature, celles qui prévalent en forêt comme dans le milieu des affaires. Je ne sais pas lequel, du ballon-prisonnier ou du capitalisme sauvage, a inspiré l'autre, d'ailleurs.

— Les enfants frappent sur le ballon à deux poings. Y se placent face à face, c'est chacun leur tour. Quand tu manques le ballon, tu laisses ta place au suivant, ça roule comme ça assez vite.

— Ah ! OK.

— Mais Éléonore est trop petite, faut qu'elle se mette sur la pointe des pieds, pis encore…

— Y a pas moyen de baisser la barre ? Ou le ballon ?

— Les poteaux sont coulés dans des assises de béton pis les courroies des ballons sont pas très longues. Peut-être qu'y existe d'autres sortes de ballon, je sais pas trop… mais c'est ben plate pour les petits, je sais.

Il a froncé les sourcils en posant ses poings sur ses hanches. Belle chemise, taille fine, absence de ventre, bravo.

— Hum… je vais aller voir ça de plus près. Je peux ?

— Oui oui, allez-y.

— Merci beaucoup, belle fin de journée à vous.

— À vous aussi !

Juste derrière lui, vêtu d'un chandail à capuchon bariolé de coups de pinceau, les cheveux en broussaille, se tenait un homme qui se promenait le menton levé en regardant de côté, l'œil torve. Sur son oreille, une cigarette éteinte ou un bout de crayon, dur à dire. Il bougeait nerveusement. Je me suis approchée doucement pour ne pas le faire sursauter.

— Bonjour ! Vous êtes le papa de Devan ?

— Ouin.

Pas de main tendue, pas de bonjour. Une tête d'oiseau qui pivotait à chaque dixième de seconde. J'ai pensé dysfonction électrique, coke, post-trauma. J'ai aussi pensé préjugés.

— Je m'appelle Diane, j'suis la nouvelle éducatrice du groupe de madame Sophie.

— OK.

— Y a eu des petits accrochages avec Devan aujourd'hui.

— OK.

— Y a commencé sa journée en brisant un jouet, une poupée.

— Y aime pas les poupées.

— C'est lui qui a choisi la poupée.

— OK.

— Y a aussi poussé un ami sur l'heure du dîner. L'autre petit gars, Loïc, s'est fait mal, y a fallu faire une intervention. C'est noté au dossier, pis vous avez une note dans l'agenda. Peut-être que Devan vous en parlera.

— OK.

— Y a sauté à deux pieds sur sa boîte de jus qui a explosé pendant le repas. Y en avait partout. Le plancher est resté collant, même une fois nettoyé. Ce serait bien qu'y comprenne qu'on peut pas faire ça avec son jus… et avec la nourriture en général.

— OK.

Je m'étais imaginé que chacune des incartades allait générer des cris indignés, des excuses, au moins des échanges, des demandes de précisions, des exclamations. Non, il restait de plâtre devant les frasques de son fils, comme si je lui récitais une fable en mandarin. C'était peut-être sa façon de réfléchir. À ce stade de la conversation, je le croyais encore capable de faire une telle chose.

— C'est aussi très difficile d'avoir son attention pendant les activités de groupe. Y se lève sans demander la permission, y suit pas les consignes…

— C'est pas de sa faute.

— Ah ?

— C'est parce qu'y est *bright* en christie, ce *kid*-là.

— Ah…

— Y fait des Lego 14+. Y a même déjà faite un Mechanic 16+ tu seul. J'étais pareil quand j'étais petit. Sauf que les Mechanics existaient pas.

Il a ouvert les bras, tourné les paumes vers le ciel, reculé la tête en souriant. Tadam !

— Intelligent de même, y devrait pouvoir comprendre les consignes.

— Quand y s'emmerde, y grouille.

— Oui, comme tout le monde, mais ça justifie pas…

— Pis quand y est pas stimulé, y fait chier.

— Pis quand y pousse les autres ?

— C'est parce qu'y s'est faite pousser, y se défend juste quand on le cherche. Tu y as-tu demandé pourquoi qu'y avait poussé l'autre *kid* ?

— On s'en fout de la raison, on peut pas accepter ce genre de comportement-là à l'école. On tolère aucune forme de violence, sous aucun prétexte.

— Violence, *come on*, l'autre a pas le crâne fendu…

La collaboration serait ardue. La mauvaise foi de cet homme retroussait au détour de chaque phrase ou raisonnement qu'il énonçait. À l'entendre justifier les écarts de son fils par mille et une raisons qui ne tenaient évidemment pas la route, j'ai eu l'impression qu'il allait finir par plaindre Devan d'avoir eu à nous endurer toute la journée, nous, les esprits obtus incapables de s'adapter à son surdoué. J'aurais volontiers démoli un ou deux bibelots pour me calmer. Peut-être même un petit meuble, au moins une chaise.

Quand je suis retournée voir Andrée, elle faisait des efforts surhumains pour ne pas éclater de rire. En jetant un regard à la ronde, je me suis rendu compte que les autres éducatrices me zyeutaient par en dessous, entre un lacet à attacher et une chicane à désamorcer. Ça sentait la conspiration à plein nez.

— OK, j'ai compris : c'était mon initiation. Vous me niaisez, c'était tout arrangé.

— Pantoute. *Pfff*... je te jure. *Pfff*... Y t'a dit quoi ?

— Plein de conneries.

— *Pfff*...

Linda, une des gentilles de troisième, s'était approchée, feignant d'avoir à surveiller des enfants dans nos jupes. Dans l'embrouillamini des Mathilde, Emma, William, nos récepteurs mâchaient des vocables qui formaient des noms d'enfants que mon oreille commençait doucement à accepter. « Kelloua en deuxième B, Laïla... », « Laquelle, Laïla ? », « Laïla Grondin, pis enweille Soutek en même temps, je vois son père qui arrive, Philomia en 4C... »

— Attends une seconde, on va attendre qu'y sortent de la cour... OK, vas-y, raconte.

— Sérieusement, ça m'inquiète, ce gars-là conduit un char.

— Y t'a expliqué pourquoi son fils est un petit monstre ?

— Genre.

— Vas-y.

— C'est parce qu'y est trop intelligent.

— Wouaaa !

Andrée et Linda ont éclaté de rire en même temps, à s'en taper les cuisses. On se serait crues dans une pub de bière.

— Son frère a le même problème, j'imagine?

Elles me faisaient oui de la tête, incapables de prononcer un mot. Tant qu'à s'amuser, aussi bien y aller à fond.

— Y vous a déjà parlé des Lego?

Encore des oui muets. Seul le sifflement de l'air qui peinait à réintégrer leurs poumons se faisait entendre.

— Avec pas de livres d'instructions…

Elles pleuraient. Je sentais qu'on allait bien s'entendre.

■

Un peu avant dix-huit heures, Andrée m'a libérée. Il ne restait que quelques enfants: ceux que je m'habituerais bientôt à voir jusqu'à la fin pratiquement tous les jours, ceux qui préféraient continuer de jouer avec leurs amis plutôt que de rentrer s'emmerder à la maison, ceux dont les parents étaient pris au boulot ou coincés quelque part dans le trafic et ceux dont les parents souhaitaient, pour toutes sortes de raisons plus ou moins défendables, qu'ils restent au service de garde le plus tard possible. Ça faisait tout un tas de petits amis qui soupaient tard. J'étais vidée et suante comme si je m'étais mise à la course quand je suis rentrée chez moi. Heureusement, le seul être vivant qui requérait un peu d'attention n'attendait de ma part que des croquettes sèches et quelques caresses.

6

Où Claudine boit des Negroni et ouvre grand les bras.

Je fleurais encore le bon savon quand je suis débarquée dans l'entrée de l'Igloo. Les murs de la place, on l'aura deviné, étaient faits de cubes de verre très années soixante-dix qui laissaient filtrer une lumière étouffée. La jeune hôtesse qui accueillait les clients portait une robe de la taille d'un mouchoir de poche qui couvrait les endroits stratégiques par la magie d'un cordage fin comme de la soie dentaire. Elle ne devait pas faire la moitié de mon poids. De dos, seules ses fesses étaient couvertes. Le galbe de ses reins forçait le tissu à suivre une courbe plongeante avant de s'épanouir sur le rebondi de ses miches. Elle était aussi nue qu'on peut l'être en feignant de s'habiller. Son bras blanc a formé une ligne droite devant mes yeux – dessous de bras impeccable – et son index a pointé la verrière où s'entassait une foule bruyante.

— Si tu viens rejoindre du monde juste pour un verre, y vont t'être par-là, les gens sont debout, y a pas de places pour s'assir. Y a un spécial sur les cocktails jusqu'à sept, la pinte est à cinq piasses. Si tu veux une table pour manger après, par z'emple, faut que tu me laisses ton numéro de cell.

— Ah ? Pourquoi ?

— Parce que je t'appelle quand ta table est prête.

— Pis si j'ai pas de cell ?

Elle a ouvert les yeux très grand, comme si je venais de lui annoncer qu'Internet était sur le point d'exploser. Sa lèvre inférieure, étrangement bien charnue, est devenue molle. De toute évidence, ma question ébranlait sa conception du monde.

— Ben… je sais pas…

— C'est pas grave, je viens juste prendre un verre.

J'ai fendu la foule avec mon sourire de matante déconnectée. La moitié de ceux que je bousculais avaient un téléphone à la main. Ils devaient attendre l'Appel.

Arrivée de bonne heure, comme elle me l'avait annoncé, Claudine était déjà très cocktail. Autour d'elle, en petits groupes, des visages familiers discutaient, les mains cramponnées à leur verre (à quinze dollars du verre, vaut mieux bien le tenir). J'ai lancé des coups de tête, fait quelques embrassades polies et me suis contentée d'offrir un gentil sourire à Josy-Josée. Elle portait, fidèle à elle-même, un tailleur trop petit d'une couleur invraisemblable, olive boustée au sulfate de cuivre, avec souliers idoines. La vieille animosité que j'avais ressentie jadis pour elle s'était entièrement éteinte, avec le temps et l'éloignement, comme un feu sans oxygène. Ces gens appartenaient à mon ancienne vie, ils avaient continué de tourner les pages de leur calendrier dans un vortex où je n'évoluais plus. En repensant à mon bureau juché dans une tour vitrée trop climatisée, aux ascenseurs beiges et aux pauses réglées, au café insipide des machines automatiques, au marasme des tâches répétées, aux patrons tout-puissants, à la mesquinerie des gens qui s'ennuient, j'ai eu un élan d'amour pour mes petites âmes maladroites, salissantes et chamailleuses.

— Câline, t'arrives ben tard !

— Fallait que je me change pis que je me lave. J'avais les bras beurrés de gouache pis les pantalons, de fluides corporels pas à moi.

— OK, tu me lèves le cœur.

— Ça finit par passer, crois-le ou pas.

— T'allais pas chez Sabrina, toi ? Me semble que t'es pareille… Eh ben, regarde donc ça, si c'est pas le beau Ji-Pi qui nous honore de sa présence !

— Hé hé ! Une revenante !

Ji-Pi a soulevé les bras pour me faire l'accolade. Par un heureux mécanisme d'emboîtement des corps, ma face s'est retrouvée plantée dans son cou – l'odeur, nom de Dieu… – et ses lèvres dans mes cheveux, tout près de mon oreille. Une grosse bande de chair de poule s'est soulevée de mon lobe jusqu'au bout de mon orteil droit.

— Qu'est-ce que tu bois, mon beau Ji-Pi ? Pis toi, Lady Di ? Le serveur s'en vient, c'est ma tournée ! Je t'avais commandé un verre tantôt, ma princesse, pour pas que tu manques le spécial, mais je l'ai bu, t'avais juste à te grouiller.

Claudine avait le sourire mou, l'œil vitreux, les gestes lourds.

— C'est beau pour moi, merci, mais je conduis.

— Ben voyons donc, mon beau Ji-Pi ! Tu prendras un taxi !

— Tu peux me payer un Perrier *on the rocks*.

— Ah ! Mon gentil serveur… c'est Hugo, hein ? Bon, Hugo, on va te prendre trois Negroni sur mon *bill*, mon beau chou…

— Deux ! Pas pour moi, merci !

— Ah ! Les hommes trop sages… Es-tu sage de même, toi, mon beau Hugo ?

— Oui madame.

— Ah que ta mère doit être contente…

— Claudine, laisse aller le gentil serveur, pis taponne-le pas de même, y aime pas ça.

— J'y fais pas mal, y a tellement des belles joues… Câlac ! Encore Adèle qui appelle, ça fait quatre fois de suite, pas moyen d'aller prendre un verre tranquille, faut toujours qu'y se passe quèque chose quand j'essaie d'avoir du *fun*, je vais être obligée de le prendre, s'cusez-moi… ALLÔ MA PUCE ! PARLE FORT, J'SUIS DANS UN BAR… COMMENT ÇA, ENCORE ? JE SORS UNE FOIS PAR JAMAIS !

Elle s'est bouché une oreille en se dirigeant vers l'entrée. Il lui restait encore un peu de savoir-vivre, ça m'a épatée. Ji-Pi s'est tourné vers moi, pas fâché de l'accalmie, plus beau que jamais. J'ai repensé à sa femme, la magnifique Marie, aux belles bottes bleues italiennes qu'elle portait grâce à moi.

— Ça va, toi ?

— Oui, bien, vraiment bien.

— T'as l'air en forme.

— Toi aussi.

— Ça te fait bien, les cheveux comme ça.

— Je vieillis, j'assume…

— Ça fait ressortir tes yeux.

J'ai regardé le plancher, comme une adolescente. Ô Sabrina, sage Sabrina…

— T'as trouvé autre chose ?

— Ben oui, je travaille dans une école.

— Une école ? *Wow* !

Claudine venait de réapparaître avec une tête d'ahurie. Elle avait gentiment bousculé à peu près tout le monde sur son passage.

— FAUT QUE J'AILLE À L'HÔPITAL !

— Comment ça, à l'hôpital ?

— MA MÈRE EST TOMBÉE !

— T'as pas besoin de crier, je t'entends. Où ça, tombée ?

— Chez nous, en descendant au sous-sol.

— C'est grave ?

— Pas trop. Adèle a fait le 911 – Amen, à s'est souvenue de quèque chose. Sont ensemble aux urgences.

— On y va.

— Non non ! Reste, relaxe. Y pensent qu'à s'est cassé la cheville, quèque chose dans le genre, personne va mourir. Pis Fabio qui est même pas arrivé…

— Pas question. J'appelle un taxi.

— Non, reste ! Le beau Ji-Pi va s'occuper de toi.

— Les filles, je vous emmène.

On a toutes les deux regardé Ji-Pi, sa mâchoire sculpturale, ses fossettes vrillées en plein centre des joues.

— J'insiste. Go !

On est passés par le bar pour régler la facture de Claudine.

— Tu peux-tu me les mettre dans des verres *takeout*, les Negroni ?

— Pas vraiment, madame. Mais je vous les chargerai pas, j'en ai plusieurs en commande, je vais pouvoir les refiler à d'autres clients.

— C'est drôle pareil, comme nom de *drink*…

— C'est le nom de l'inventeur.

— Ah ! Ça vient pas de…

— Non, pas du tout.

— Me semblait aussi ! Non, mais vite de même, ça donne à penser…

— OK, Claudine, on y va !

Je vous le donne en mille : Hugo est noir. La pente glissante de l'humour douteux était à portée de mots. Valait mieux ne pas traîner là.

En suivant Ji-Pi qui nous ouvrait le chemin en imposant sa belle carrure dans le magma de corps en sueur qui aurait autrement entravé notre avancée, nous avons réussi à rejoindre l'entrée.

— Merci, bonne soirée, à la prochaine !

Ji-Pi a salué l'hôtesse en hochant légèrement la tête, sans ralentir, j'ai levé la main pour la saluer discrètement – tout en pensant « parle à ma main » –, Claudine a passé son chemin en soupirant… avant de décider de revenir sur ses pas.

— Écoute, ma belle, va donc t'habiller, c'est pas une robe, ça, c'est un *babydoll*, pis encore…

— Claudine, viens-t'en !

— Non, mais t'imagines la mère de cette enfant-là ! Je gage qu'elle a même pas de bobette en dessous !

— On s'en fout, c'est pas de nos affaires !

— Si à fait un petit pepi nerveux, ça va couler direct à terre.

— Ça coulera. Viens-t'en.

Jean-Paul faisait semblant de se masser la barbe qu'il n'avait pas pour dissimuler son fou rire. Le contour de ses yeux qui craquait de partout le trahissait. Dans l'ascenseur qui nous menait au stationnement, Claudine a réservé son siège.

— *SHOTGUN* LE BANC D'EN AVANT !

— Merde, tu vas finir par me péter les tympans…

Après s'être extasiée devant la couleur bleu nuit de la voiture de Ji-Pi – en faisant des allusions grivoises pas subtiles pour deux sous à la série *Emmanuelle* –, Claudine s'est glissée à côté de lui.

— Je pense que c'est dans notre karma, hein Didi ?

— De quoi, notre karma ?

— De se faire reconduire à l'hôpital par des beaux gars quand on se pète la gueule.

Elle a fini sa phrase en mettant la main sur la cuisse de Ji-Pi.

— Claudine, *MeToo*…

— Toi itou quoi ?

— *Hashtag MeToo*, Clau, lâches-y la cuisse, je pense pas que ça y tente…

— Oh !

Sa main a rebondi comme si elle l'avait posée sur un rond de poêle rougi. Ji-Pi a souri. On a roulé un petit moment sur ce malaise, jusqu'au moment où le babillage insipide de l'animateur radio a laissé place à une vieille toune de Niagara.

— *God*, ça fait longtemps…

La fille qu'on n'invitait jamais à danser essayait de toucher le soleil. Dans ma tête, au-delà des vitres de l'auto, Muriel dansait dans ses accoutrements de cirque avec ses cheveux de feu. On a fredonné en chœur jusqu'à ce que la fille de la chanson saute du quai à la fin de l'hiver. *Ses cheveux, lentement, dans l'eau ont flotté...* J'ai regardé Ji-Pi du coin de l'œil, il connaissait les paroles. Ça me l'a rendu encore plus touchant, comme si c'était possible.

Le ciel et nos âmes s'étaient assombris quand on est sorties de l'auto. Ça nous faisait une bouille plus à-propos pour mettre le pied dans un hôpital. On a regardé le cul de la Subaru de Ji-Pi s'enfoncer dans l'encre de la nuit naissante, tout de même un peu déçues que les malheureuses circonstances l'aient soustrait à notre regard.

On a fini par retrouver Adèle, après une série d'allers-retours entre les guichets et les gardiens de sécurité, dans une petite salle attenante au service de radiologie. En voyant sa mère approcher, elle s'est levée d'un bond, plus vite que je ne l'avais jamais vue bouger ces cinq dernières années.

— C'est de ma faute, c'est toute de ma faute...

Sa mâchoire tremblait, ses mains s'enroulaient en un mouvement de vis sans fin.

— OK, on se calme, c'est un accident.

— Si je l'avais pas laissée descendre le panier en bas, ce serait pas arrivé.

— Peut-être, mais ça change rien.

— J'étais supposée le descendre, mais je l'ai pas fait, ça me tentait pas, je l'ai laissé traîner...

— Y ont fait des radios?

— Sa jambe était toute tordue quand j'suis arrivée en bas, pis à gémissait...

— C'est quand même un accident.

— Oui, mais si je l'avais descendu, ça serait pas arrivé !

— T'as raison, mais…

— J'suis tellement conne ! J'suis tellement conne ! J'avais juste à le descendre, le maudit panier !

— OK, chérie, calme-toi, c'est fait, on peut pas revenir là-dessus…

— C'est tout le temps de même, j'suis lâche, j'suis conne, j'suis bonne dans rien, j'suis bonne à rien, j'aime rien, tout le monde me chiale dessus, j'ai juste envie de crever…

— *Wo ! Wo ! Wo !* OK, viens ici, viens ici…

Et il s'est passé là quelque chose d'absolument extraordinaire : Adèle s'est laissé enlacer par sa mère, elle a déposé sa tête sur son épaule et s'est mise à pleurer comme l'enfant qu'elle était toujours, au fond, une fillette vulnérable coincée dans un corps de femme en construction. La brèche qui venait de s'ouvrir en elle laissait entendre des torrents de peurs et de reproches accumulés qui se déversaient maintenant dans une confusion de sentiments désarmante. Claudine venait de dégriser d'un coup.

— Mon bébé, t'as envie de crever pour vrai ?

— Mais je sers à rien ! À personne !

— Pis moi ?

— Tu m'haïs !

— MOI ? MOI, JE T'HAÏS ?

— T'es tout le temps choquée après moi !

— J'suis pas choquée, j'essaie juste de te fouetter ! Je veux que tu bouges, que tu vives ! Ça me tue quand tu fous rien à l'école, quand je te vois effoirée dans le divan toute la journée !

— Je sais pas comment faire…

— Pour te lever ?

— Pour vivre.

— Mais mon bébé…

— J'haïs l'école, j'haïs le sport, j'suis lette…

— Non !

— J'suis bonne dans rien.

— C'est pas vrai !

— Dans quoi, d'abord ?

— Ben… dans quelque chose que t'as pas encore trouvé.

— *Wow* !

— Ça peut être long à trouver, c'est normal.

— Je trouverai pas, y a rien.

— Je vais continuer de te botter le derrière, inquiète-toi pas, y a tellement d'affaires que t'as pas encore essayées.

— Comme quoi ?

— Ben… je sais pas, la danse.

— Beurk.

— Les langues, les arts, les voyages, le kung-fu…

— *Pfff*…

— Peu importe, on va trouver, OK ?

— Hum.

— Tu me fais peur, mon bébé.

— Mais non…

— Non ?

— C'est correct.

— T'es sûre ?

— Oui.

— OK. J'suis là…

— Je sais.

— Tout le temps.

— Je sais.

— Trop tout le temps, peut-être?

— Ben non.

Je me suis éloignée. Ce bout-là de l'histoire leur appartenait. Et je ne leur aurais été d'aucun secours: même dans sa phase végétale – Alexandre et Charlotte l'avaient sautée –, Antoine s'était montré violemment passionné. Pour les jeux vidéo, certes, mais c'est précisément par eux qu'étaient advenus chez lui le goût des études et celui de travailler, ce qui avait fini par me faire éprouver, pour les têtes éclatées de *Mortal Kombat,* une certaine forme de reconnaissance.

J'en ai profité pour donner des nouvelles à mes enfants, qui m'avaient tous écrit pour savoir comment s'était passée ma première journée de travail. Depuis le départ de Jacques, nous n'étions plus, du moins pas de façon aussi tranchée qu'avant, cantonnés dans nos rôles de parents et enfants; ils me couvraient de petits soins, s'inquiétaient pour moi, me voulaient heureuse. Étrangement, je ne leur ai pas raconté la même chose à chacun.

À Antoine, j'ai exposé l'horaire difficile, qui me demanderait de me lever tôt tous les jours et de composer avec des heures de repas chamboulées, convaincue que ça lui parlerait.

— Ouin, t'as pas choisi une job ben ben reposante.

Quand je lui ai expliqué que j'étais à l'hôpital pour la mère de Claudine, il m'a souhaité bonne chance.

À Alexandre et Justin, qui se sont mis en mode haut-parleur pour m'écouter d'une même oreille, j'ai parlé des enfants qui perdaient leur boîte à lunch et de la petite Éléonore aux yeux de manga qui rêvait de jouer au ballon-poire; à leurs « Oh! » émus j'ai su qu'ils se regardaient en pensant à l'enfant qu'ils rêvaient d'adopter un jour. Je n'ai pas pu m'empêcher de penser: je suis trop jeune pour être grand-mère.

— C'est quoi les bruits qu'on entend derrière?

— J'suis à l'hôpital...

— QUOI?

— Pas pour moi!

— Fiou!

— La mère de Claudine est tombée dans l'escalier, on attend des nouvelles.

— C'est grave?

— Oui pis non, Adèle nous a parlé d'un pied tordu, mais à cet âge-là...

— Avez-vous besoin de quelque chose? Avez-vous mangé?

— Non non, vous êtes ben fins. Y a une cafétéria ici, on va s'arranger. Merci, les garçons.

Je n'aurais eu qu'à claquer des doigts pour les voir débarquer à l'hôpital avec le nécessaire de survie pour un siège de soixante-douze heures. S'il le fallait, Alexandre m'enverrait dans l'heure des secours aéroportés même si j'étais à Tombouctou. Avoir un fils comme lui, c'est un peu comme avoir un père. Ou un mari d'une autre époque.

À Charlotte, j'ai parlé de Devan et glissé un mot sur le chantier de construction. Et sur les hasards de la vie.

— Le même Guy?

— Ben oui, je sais. Y ont débloqué des budgets pour retaper les écoles.

— Est-ce qu'y est célibataire, ton Guy?

— C'est pas « mon » Guy, premièrement, pis deuxièmement, je me cherche pas de *chum*.

— Pourquoi pas?

— Ben, parce que…

Parce que dire qu'on se cherche un *chum* revient à dire, en partie du moins, bien qu'indirectement, qu'on souhaite avoir des relations sexuelles avec quelqu'un qu'on ne connaît pas encore. Et avouer une telle chose à ma fille, même si j'avais la certitude qu'elle m'aurait totalement approuvée et même encouragée, me semblait parfaitement inapproprié. Dans les fractions de seconde que m'ont données mes points de suspension, j'ai détesté ce fond judéochrétien dont ma conscience était encore encrassée et qui me faisait encore associer, malgré tous les efforts que je faisais pour me raisonner, le sexe sans la procréation au Mal.

— … j'suis bien comme j'suis là.

— Justement! C'est quand on est bien qu'on est prêt à rencontrer quelqu'un, maman! On apprend ça en psycho 101!

— Comment veux-tu que je sache si y est célibataire?

— Tu y demandes.

— Ben là…

— Ou tu portes attention aux détails.

— Y porte pas de bague, j'ai déjà regardé.

— Maman, ça veut rien dire, ça, le monde se marie pus. Je porte une des bagues de grand-maman à l'annulaire pis j'suis pas mariée. Écoute: un gars qui est pas célibataire va s'arranger pour dire, à un moment donné dans la conversation, quand le gars a de l'allure, on s'entend, que sa blonde ci, sa blonde ça, y va parler de ses enfants, raccrocher au téléphone en disant « Bye, amour ! », ou juste « Moi aussi ! », y va parler de la lasagne de sa blonde en mangeant son lunch, bref, y va dire ou faire quelque chose qui va te donner des indices.

— Pis si y dit jamais rien ?

— Y a des bonnes chances d'être célibataire. À moins d'être un crosseur qui se ménage le droit de *cruiser*.

— Ça pourrait pas juste être un gars discret qui aime pas parler de sa vie personnelle ?

— C'est extrêmement rare, ça. Pis même si c'était le cas, y aurait des détails que tu pourrais voir ou deviner.

— Bon, pour l'instant, j'ai rien remarqué, à part un tatouage de femme avec des flammes sur son bras.

— Les tatouages, c'est comme les bagues, laisse passer. Tout le monde fait des erreurs. Invite le à prendre un verre, un café, va vérifier.

— J'suis un peu vieille pour ces affaires-là.

— Allô ! De quoi tu parles, maman ! T'as quarante-neuf ans ! Vieille pour quoi ?

— J'ai pas dit qu'y m'intéressait, de toute façon.

— Ha ha ! Ben non…

— Pis parlant de quarante-neuf, vous m'organisez surtout pas de *party* de cinquante ans.

— Je sais.

— J'haïs ça, j'en veux pas. Pas de cadeaux, de bien-cuit, de niaiseries, rien.

Je revoyais en accéléré la série classique des *partys* de dizaines : la brosse phénoménale des vingt, les discours-montages photos et tounes kitsch des trente (accompagnés du sourire botoxé de ma belle-mère qui faisait semblant de me trouver *cute* à dix ans) et les bonnes intentions un peu essoufflées des quarante (avec le traditionnel panier de faux vieux : couches d'incontinence, vitamines et piluliers). Pour mes cinquante, je rêvais qu'on m'oublie.

— Même pas un petit gâteau ?

— Même pas. J'y retourne, les filles vont me chercher.

— Donne-moi des nouvelles quand vous allez savoir pour Rosanne.

— Promis. Je t'envoie un texto.

— Que t'es pas obligée de signer.

— Chacha ?

— Hum ?

— La prof de mon groupe est à peine plus vieille que toi, ça me fait bizarre.

— C'est parfait, m'man ! T'as une expérience de vie qu'elle a pas, tu vas pouvoir lui apprendre plein d'affaires, sur la vie, l'amour, les enfants…

— C'est plus les parents qui vont me donner du fil à retordre.

— Pense à matante Jacinthe, ça peut pas être pire.

— Ha ! *Oh my God*, elle…

Les médecins ont dit que c'était une « belle fracture ». L'esthétique impose ses lois jusqu'à l'intérieur du corps. Rosanne s'est montrée philosophe : « Ça me fera toujours ben ça de beau ! » Ils nous ont laissées la ramener à la maison avec la promesse de veiller sur elle et de revenir pour des radios dans une dizaine de jours. Elle demeurerait chez Claudine le temps de sa convalescence, lestée par une grosse botte Samson. Avant même qu'on lui ait demandé quoi que ce soit, Adèle a promis d'être aux petits soins pour elle. Avec l'école juste à côté, ce serait facile pour elle de revenir le midi et d'être là tôt en après-midi. Elle s'occuperait « de toute toute toute ». C'était à se demander si ce n'était pas elle qui avait chuté, tête première. À quelque chose malheur est bon.

— Qui a faim ?

— Moi !

— Moi !

— Moi !

— On commande une grosse piz ?

— Moitié végé !

— On peut-tu commander aussi un plat du grosses bines ?

— Des bines ?

— Avec de la belle viande, pis du petit jus, pis toute…

— Du cassoulet ?

— C'est ça. Me semble qu'après une épreuve de même…

Dans son dos, Claudine a joué du violon pour me faire comprendre que sa mère profitait un peu de la situation pour faire pitié et se passer une commande spéciale. J'ai regardé ma montre.

— Je commande une pizza chez Pierrot pis je passe au bistrot pour un *take-out*, y doivent être sur le bord de fermer.

— Adèle pis moi, on s'occupe de la vieille éclopée.

— Hé ! Toé ! Ton langage !

— Même caractère, c'est bon, t'es pas si maganée.

Comme il faisait bon ce soir-là, on s'est installées sur la terrasse avec notre bouffe et notre bibine. On entendait le tintement des verres qui s'entrechoquaient sur les balcons sombres. Des pointes rougeoyantes trahissaient la présence des fumeurs qui profitaient de la nuit pour s'enténébrer le système en paix. Inspirée par les ostimans qui truffaient comme toujours le silence de leurs prières, Rosanne savourait religieusement son cassoulet, pendant qu'Adèle piochait dans sa pointe végé pour démasquer les miettes de viande qui auraient profité de l'inattention du pizzaïolo pour se faufiler sous les légumes. Chat de Poche, sorti pour son *shift* de nuit, avait pris place à côté de l'assiette de Claudine, en position du Sphinx, sachant pertinemment qu'elle lui refilerait des petits bouts de fromage et de pépé dès que je regarderais ailleurs. Ces deux-là me jouaient constamment dans le dos, même en pleine face.

Isabelle, l'aînée de la fratrie du petit Simon – pauvre petit, quatre grandes *sœurs* –, est passée dans la ruelle, le capuchon rabattu sur la tête. Elle a ralenti à la hauteur de notre cour, jeté un œil au jardin, levé les yeux vers nous, petit groupe seulement éclairé par les quelques lampions semés aux quatre coins de la table. On déteste trop les gros papillons de nuit au corps gras comme des chenilles pour éclairer davantage.

Quand je lui ai dit que je voyais plus leur vieux chat Patate traîner dans les parages, elle nous a raconté qu'il était désormais trop aveugle pour sortir. Trop vieux pour être opéré. Trop magané aussi. Chez les animaux, la fin se dessine à coups de « trop ».

■

On a bu et mangé presque en silence jusqu'à la mort des flammes. Quand Laurie est arrivée – fortement invitée par Claudine à venir faire un petit coucou à sa grand-mère –, il ne restait qu'une pointe de pizza végé qui refroidissait dans le fond de la boîte humide et Rosanne dormait, emmitouflée dans la grosse doudou poilue qu'Adèle avait dénichée dans leur vieux coffre de cèdre. Je l'avais prise en photo pour montrer à Charlotte que tout allait pour le mieux dans le meilleur des mondes. Chat de Poche s'était même couché en crevette sur mes jambes.

— Salut !

— Enfin, te v'là !

— Pis, grand-maman ?

— Regarde, à dort.

— 'Est-tu correcte ?

— C'est juste une cheville cassée, ça va aller. Pis toi, ça va, mon bébé ?

— Ça va.

— L'appart ?

— Correct.

— Juste correct ?

— Ben correct.

— Pis avec Jérémie, ça va ?

Une longue seconde d'hésitation, trop longue. Les sourcils de Claudine ont fait un *push-up* jusqu'au milieu de son front.

— Ça va.

— T'es sûre ?

— Ouin. Adèle est où ?

— Dans sa chambre, à netflixe.

— À va bien ?

— Bah ! Ta sœur se cherche un peu de ce temps-là. Mais tu disais ouin…

— Ouin, moyen.

— Qu'est-ce qu'y a ?

— Bah, c'est compliqué.

— On est pas pressées.

— Mais non, c'est rien.

— Ça se passe pas comme tu pensais ?

— Ben non, c'est sûr, ça se passe jamais comme on veut, tu me l'as assez dit.

Claudine a eu la bonne idée de ne rien ajouter, les confidences sont des bêtes farouches.

— Je sais ben qu'y travaille dans un bar, mais quand même…

— …

— Y est rentré à sept heures du matin, samedi.

— SEPT HEURES !

— Chutttt !

— Les bars ferment à quelle heure, coudonc ?

— À trois heures, comme avant, m'man, mais faut qu'y fasse sa caisse, l'inventaire, le ménage…

— Y doivent être *shinés* vrai, ses comptoirs !

— Y dit qu'y s'est endormi sur une banquette après avoir mangé.

— Au bar ?

— Y a des causeuses dans le *cigar room*, c'est là qu'y font leur caisse.

— Y s'est endormi en comptant son argent ?

— C'est ce qu'y dit.

— Y devait filer doux quand y est rentré ?

— Pas plus que les autres fois.

— C'est pas la première fois ?

— La troisième.

— Pis tu le crois ?

— Ben non, je le crois pas, c'est n'importe quoi… Surtout que j'ai activé la géolocalisation sur son cell pis que je sais qu'y était pas là.

— Je comprends pas.

— Je vois son cell sur mon cell, fait que je sais y est où en temps réel, pis y était pas là, y est parti du bar à quatre heures.

— Tu le vois marcher sur ton cell ?

— Je vois sa position, oui.

— Pis y était où ?

— Devine.

— Aux danseuses ?

— *Come on*, maman !

Laurie nous a expliqué qu'elle avait découvert que son *chum* flambait une partie de ses deux-trois cents piastres de pourboire dans des *after hours*, places semi-clandestines destinées à ceux qui veulent continuer de boire et de faire la fête après la fermeture des bars. Les seuls *afters* que j'avais connus s'étaient déroulés autour d'un oignon français chez Marie-Antoinette, arrosé de café à l'eau de vaisselle.

— Pis tu penses sérieusement qu'y va là juste pour boire ?

— Si j'y demandais, c'est ça qu'y me dirait.

— Ben demandes-y !

— Je peux pas !

— Pourquoi ?

— Parce que je suis pas censée savoir qu'y était pas au bar.

— Mais tu le sais !

— Mais si j'y dis que je sais qu'y était pas au bar, y va se douter que je le géolocalise, y va fouiller dans son téléphone, devenir enragé noir pis me bloquer. Fait que je pourrais pus le suivre, tu comprends ?

— …

— Donc je fais semblant que je le crois pour pas qu'y se doute que je le surveille.

— Mais c'est complètement malsain !

— Oui, mais pour l'instant, j'ai pas le choix.

— Faut le confronter !

— J'ai pas le goût.

— Pourquoi ?

— Parce que. C'est peut-être même pas ce qu'on pense.

— Peut-être pas, t'as raison. Pis c'est à toi les oreilles.

— Pis les oreilles prendraient ben un verre de ce que vous buvez.

J'ai fait signe à Claudine de ne pas bouger, je m'en occupais. Il fallait éviter de trop brasser l'air autour de nous pour ne pas que Laurie se recroqueville et ne ravale son désarroi.

Quand je suis revenue avec le verre de rose, Laurie pleurait, la tête enfoncée dans la poitrine de sa mère, qui l'enveloppait de ses grands bras généreux. Claudine aimait sa grande de toutes ses forces, en silence, les yeux pleins d'eau. Je suis retournée voir à la cuisine si j'y étais.

7

Où madame Sophie passe beaucoup de temps aux toilettes.

C'est volontairement, la semaine suivante, que je me suis présentée à ma toute première journée de formation intitulée « Écouter, désamorcer, accompagner » offerte par la commission scolaire. Le congé pédagogique qu'on avait étonnamment foutu dans le nombril de la semaine ne requerrait pas les services de toutes les éducatrices, les élèves plus vieux choisissant souvent de rester à la maison et de s'autogérer grâce à leur grand sens de l'autonomie (et leur maîtrise du iPad). J'avais donc choisi d'aller voir ce qu'une série d'ateliers présentés à la sauce *Mange, prie, aime* pouvait m'offrir comme armes pour affronter les Devan de ce monde. Et comme madame Sophie avait aussi choisi de s'inscrire au même atelier que moi, j'ai pensé que ça nous permettrait de mieux nous connaître.

Quand je l'ai vue devant l'entrée du Centre des congrès, ma belle et très jeune titulaire, je l'ai à peine reconnue : elle était juchée sur des talons quatre pouces, vêtue d'un aérien *jumpsuit* qui laissait voir une forme aboutie et sculpturale de l'évolution des espèces. Tous ceux qui entraient la zyeutaient des pieds à la tête, recto-verso. Ce qu'elle passait ses journées à cacher derrière des vêtements sobres et platement fonctionnels se révélait ici dans toute sa splendeur. Je n'ai même pas eu la force d'être jalouse.

— Ah! Diane! T'es là, c'est super!

— Mais t'es ben belle, toi!

— J'ai un gros service à te demander.

Elle trépignait comme une petite fille en se mordant la lèvre.

— Pourrais-tu prendre ma pochette?

— Quelle pochette?

— On nous remet toujours une pochette avec notre nom au début de la journée. Y a la paperasse pour les ateliers dedans. C'est pour prendre les présences.

— OK.

— Si on est pas là, y coupent notre paie, tu comprends...

— Oh!

— Fait que ça m'aiderait vraiment vraiment beaucoup qu'on pense que j'suis ici aujourd'hui. Pis pas juste pour la paie...

Devant son regard suppliant, j'ai réfréné ma violente envie de demander pourquoi. Je voulais avoir un peu son âge, être cool, faire semblant de comprendre ce qui se passait.

— Je comprends. Mais tu pourrais pas juste ramasser ta pochette pis te sauver en douce?

— Y a un formulaire à remettre après chaque atelier.

— Ah! Donc c'est moi qui...

— Oui, mais c'est juste une phrase ou deux phrases chaque fois, du genre « Super motivant, très hâte d'essayer ça en classe ! Merci ! » On écrit toujours des affaires de même. Y remarqueront pas que c'est la même écriture.

Fallait quand même un peu de culot pour me demander de mentir et de trahir à répétition pour elle en quelques heures. Mais j'étais cool.

— Pas de trouble, je m'en occupe.

— Tu pourrais dire que j'suis aux toilettes pour avoir ma pochette, par exemple…

— Y vont me croire ?

— Ben… ça pourrait aider de montrer ça.

Elle m'a tendu un petit sac à main d'un mauve douteux.

— Une sacoche.

— Oui, tu la tiens pendant que j'suis aux toilettes. Y a un portefeuille avec des cartes dedans, un vieux permis, au cas où.

— Les femmes vont aux toilettes avec leur sacoche, non ?

— Pas pour un petit pipi pressant.

— Pis ça marche, d'habitude ?

— Je sais pas, j'espère. J'ai un rendez-vous vraiment important aujourd'hui…

— C'est bon, donne.

— T'es sûre que ça te dérange pas ?

— Sûre. Ç'a l'air vraiment important, ton affaire, vas-y.

— T'es trop fine, merci.

— Plaisir, inquiète-toi pas. Sauve-toi.

— Je te revaudrai ça.

Elle a tourné les talons.

— Sophie?

— Hum?

— Je peux-tu te demander quèque chose?

Son sourire s'est aplati.

— Hum… oui.

— Portes-tu vraiment une sacoche lette de même dans 'vraie vie?

— Ha! Non, c'est un cadeau, je peux pas m'en débarrasser.

— Pis si je t'avais dit non, t'aurais fait quoi?

— Je savais que tu dirais oui.

Elle m'a fait un mignon sourire avant de s'élancer entre les voitures pour aller faire cette chose à ce point importante que le danger de confier son sort aux mains d'une quasi-étrangère ne l'avait pas arrêtée. J'ai mis la main dans la sacoche, trouvé le portefeuille, le permis de conduire: 1993. J'étais enceinte de mon deuxième.

Avant de franchir les portes de l'auditorium climatisé où une conférencière s'apprêtait à nous faire un petit *pep talk* d'hyperactive crinquée au curcuma, on nous remettait, comme prévu, un dossier contenant le matériel pour les ateliers qui suivraient et… une bague de bonne aventure pour évaluer notre humeur tout au long de la journée, au cas où on se croirait plus malheureux qu'on ne l'était. Les femmes qui me devançaient ont enfilé le bijou en marmonnant.

— *Tchecke*, c'est noir, j'suis fâchée.

— Moi, c'est rose, ça dit « cool ».

— Y doit avoir quelqu'un dans l'organisation avec un beau-frère dentiste qui avait des *batches* de bagues à refiler…

Mon cœur battait la chamade quand mon tour est venu.

— Diane Delaunais, « a », « i », « s ». Pis je vais aussi prendre le dossier de Sophie Maheu, on est ensemble, on travaille dans la même classe.

— Les participants doivent venir récupérer eux-mêmes leur dossier.

J'ai brandi la petite sacoche mauve en faisant un clin d'œil qui se voulait complice.

— Envie pressante. Je peux vous sortir son portefeuille, si vous voulez voir…

Elle m'a rendu mon clin d'œil et remis le dossier de mon amie imaginaire sans autre preuve. Bébéfafa de même. J'ai une tête qui inspire confiance, c'est le lot des femmes plates. J'ai foutu les affaires de Sophie au fond de ma grosse sacoche de mère qui n'a jamais appris à réduire la taille de son sac à main, même vingt ans après les dernières couches.

Sur la scène, éclairée comme si les princesses Disney s'apprêtaient à débarquer, des gerbes de ballons gonflés à l'hélium encadraient un lutrin sur lequel on avait posé un micro. Le cadre parfait pour accueillir un vendeur de chars, un animateur de bal de finissants ou Pico le clown. Quand l'officiante nous a servi un assommant « Allô tout le monde ! Êtes-vous en forme ? », j'ai su que la journée serait longue, très longue. J'ai regardé ma bague, jaune foncé = inquiet. Plus clairvoyant que je l'aurais cru, le jouet.

Dans le premier atelier, d'une durée d'une heure trente, nous avons pris 10 minutes pour nous présenter, 20 minutes pour évaluer sur une échelle de 10 notre niveau de motivation avec justifications (j'ai dit 8 pour être gentille et alléger la conversation, mais je filais 2 ½ depuis le discours d'ouverture à l'auditorium), 15 minutes pour une étude de cas (l'enfant qui « n'entend » pas les consignes), 15 minutes de pause, un autre petit 15 pour une deuxième étude de cas (un enfant qui veut renégocier les consignes) et ce qui restait de la rencontre pour réévaluer notre motivation sur 10 et en faire part aux autres. J'ai été la seule à ne pas modifier ma note et couvrir l'animatrice de compliments dégoulinants de complaisance pour la remercier de la magnificence de ce que nous venions d'apprendre (certaines règles peuvent être établies, d'autres pas, et encore, ça dépend des enfants) et de son incroyable sens de l'organisation. À ce titre, en effet, elle était irréprochable: tous les morceaux de son atelier, même aux trois quarts inutiles, avaient été rigoureusement chronométrés. Je nous ai pondu des banalités passe-partout diamétralement opposées pour les formulaires: « Merci! J'ai appris plein de trucs intéressants. » et « Trop de poutine et pas assez de contenu dans cet atelier. Mais bien organisé. » De madame Sophie, celle-là, évidemment.

Avant le quatrième et dernier atelier de la journée, mon compteur de minutes de formation pertinente n'avait pas encore complété un tour d'horloge. Ma bague m'avait fait passer par toute la gamme des émotions possibles (avec une prédominance pour le mauve = impatient) pour finir par se fixer sur le vert = soucieux. Je n'entretenais plus aucun espoir quand je suis entrée dans le local 212, sinon celui qu'on nous épargnerait peut-être les jeux débiles légèrement infantilisants. À l'heure pile, alors que tous les participants n'étaient pas encore assis, elle s'est lancée.

— Je m'appelle Rachelle. J'suis psychologue en milieu familial depuis vingt-sept ans. Je travaille aussi en collaboration avec les écoles. Merci d'être là. Vous avez tous les jours à gérer une grande quantité de comportements désagréables, punissables, répréhensibles, ou carrément méchants, haïssables, voire diaboliques…

Des rires légers ont éclaté à gauche et à droite. Pas de gants blancs et de dentelle cette fois, on écraserait allègrement tous les œufs sur lesquels on marcherait.

— On pourrait passer le reste de la journée à les qualifier, ces comportements-là, ça nous défoulerait sûrement…

Des dents magnifiques, un visage rond, une belle contenance dans la voix, une fille solide. Une petite cinquantaine, l'âge parfait.

— … mais ça nous aiderait pas à long terme. Ce qu'y faut comprendre, c'est qu'un enfant gagne toujours quelque chose quand y adopte un comportement négatif. Toujours. Y gagne souvent quelque chose de pas évident, mais y gagne, sinon y le ferait pas. Pis généralement le gain correspond à un manque.

Huit mains se sont spontanément levées.

— Oui?

— Je vois pas ce qu'un enfant gagne quand y est puni.

— Vous êtes madame?

— Jocelyne.

— Donnez-moi un exemple de punition, Jocelyne.

— Ben… mettons un enfant qui pousse dans les rangs quand c'est le temps de la récré, j'en ai un de même, y pousse tout le temps, à chaque récré, c'est toujours pareil, y recommence tout le temps, un vrai fatigant…

— Qu'est-ce que vous faites à ce moment-là ?

— Je le mets dans le coin pis y perd sa récré.

— Dans quel coin ?

— On appelle ça de même, mais on le met sur le bord de la porte pour qu'y soit facile à surveiller.

— Vous le laissez là tout seul ?

— Non, ben non, pas toute la récré en tout cas, faut qu'y comprenne pourquoi y est là, fait que j'y redis les règlements, moi ou une de mes collègues, j'y explique des affaires, j'y fais la morale…

Le visage de Rachelle s'est fendu d'un grand sourire sans dents, du genre voilà.

— Non, mais c'est plate en maudit, se faire mettre à part pis se faire sermonner de même !

— Pas pour lui, de toute évidence. Y reçoit beaucoup d'attention, avec un traitement comme celui-là. Se faire chicaner, c'est mieux qu'être ignoré. Cet enfant-là gagne un adulte pour lui tout seul, ce qu'y a peut-être jamais la chance d'avoir. Un adulte gentil, en plus… Y a des amis, cet enfant-là ?

— Bah… dur à dire.

— Probablement pas des tonnes.

Le fond de l'air s'est couvert de faibles « Oh ! Ah ! » qui balançaient entre l'étonnement et l'incrédulité. C'était à la fois si simple et si difficile à comprendre.

— Ce qui est une punition pour nous peut prendre des allures de traitement de faveur pour l'enfant qui manque d'attention. Mais c'est peut-être encore plus simple : y a ben des enfants pour qui c'est l'horreur, la récré; y sont choisis en dernier pour les équipes de soccer, en fait «choisis» est un grand mot, on les impose généralement dans l'équipe la moins nombreuse, y se font repousser dans les modules, intimider, y finissent par taper dans des cailloux sur le bord de la clôture en attendant que ça passe, en souhaitant que ça passe au plus vite; certains ont pas d'amis, d'autres pas de collation, ou pas de vêtements pour jouer dehors, vous le savez comme moi, mieux que moi... Trouver une façon de sauter la récré ou de la passer ailleurs qu'avec les autres peut devenir une bénédiction pour eux.

— Je fais quoi, d'abord, avec lui?

— On essaie de l'aider à gagner ce qu'il cherche en aval de la punition. Celle du coin marche pas, faut penser autrement.

— Comment?

— J'ai pas de recette magique, ça dépend de ce qui lui manque, mais plein d'idées de pistes à explorer, plein de belles histoires aussi, mais pas de miracles, Kateri Tekakwitha travaille pas pour les services sociaux...

Pour chacun des cas problématiques exposés, il fallait d'abord essayer de comprendre ce que l'enfant gagnait en se comportant de la sorte; pas d'intervention possible sans atteindre le nœud, tout partait de là. Rachelle commentait ensuite chacune de nos idées – c'était le genre de femme pour qui on aurait inventé l'expression « avoir vu neiger » –, nous aiguillonnait sur les pistes négligées et nous donnait plein d'exemples de cas résolus, parfois avec des riens. Il n'y avait pas deux histoires pareilles et les solutions se trouvaient souvent hors-piste, dans des chemins de traverse défrichés à coups d'essais et erreurs. Parmi les cas racontés, il y avait celui d'une éducatrice qui avait réussi à amadouer l'un des pires trouble-fête de sa classe, sur qui les punitions n'avaient depuis longtemps plus aucune prise, en jouant une partie de Mille Bornes en tête-à-tête à la fin de la journée. Ils étaient ensuite passés à UNO, au Backgammon, aux dames, au Yum et même au Crib en sixième année. Les jeux lui avaient servi de paratonnerre – la foudre passait par les pions, les cartes, les doigts – et laissaient un peu en repos les autorités chargées de son épanouissement. Mais cette mesure s'était montrée complètement inefficace avec d'autres jeunes qui avaient en apparence le même genre de problèmes. Le nœud pouvait se trouver partout, dans le cerveau malmené comme dans la boîte à lunch, les solutions variaient tout autant. Je l'aurais écoutée pendant des heures. J'ai jeté un œil à ma bague pour voir si elle n'affichait pas « déçu » quand l'atelier a pris fin. Madame Sophie a été élogieuse dans son commentaire ; de ses toilettes lointaines d'où elle ne sortirait pas de la journée, elle avait « capoté ben raide tellement c'était intéressant ! » On est jeune ou on ne l'est pas.

Tout ce brassage d'idées autour des comportements désagréables m'avait remuée, et les souvenirs s'étaient mis à affluer, comme des vagues chargées d'algues gluantes dans lesquelles mon fils Antoine surnageait. Je revoyais le bordel de sa chambre, ses longues journées d'apathie, mes infructueux discours, mille fois répétés, pour essayer de le mettre en mouvement ; je repensais aux retards, aux retenues, aux échecs, à nos mots durs, « cas désespéré », « paresse crasse », par lesquels nous traduisions une réalité que nous étions impuissants à changer. Je n'avais jamais envisagé que son comportement puisse lui permettre de gagner quoi que ce soit d'autre que des réprimandes, dont il se moquait, du reste, éperdument. Que peut-on gagner, d'ailleurs, en opposant à ceux qu'on aime une inertie quasi totale ? Que souhaite-t-on en ne faisant rien ? Adèle nous offrait chaque jour la chance de nous poser la question sans qu'on se soit donné la peine d'y répondre. Je n'avais pas compris qu'un manque quelconque présidait à sa léthargie. Je prenais conscience que j'avais peut-être passé vingt ans à brasser et sermonner un fils qui n'avait trouvé que l'indolence pour me communiquer sa détresse. J'ai couru me réfugier dans mon auto. Mon téléphone m'attendait dans le porte-gobelet, pratiquement mort. Claudine avait tenté de me rejoindre sans laisser de message, donc rien d'important. J'ai appelé Antoine.

— Allô mon bébé, c'est maman !

— Euh… allô.

— Ça va pas ?

— Oui oui, ça va. C'est juste que… bébé ?

— Bah, c'est sorti de même.

— J'suis encore au travail, m'man, je peux-tu te rappeler tantôt ?

— T'as pas deux minutes ? J'ai juste une petite question.

— OK, deux minutes, j'suis avec un collègue.

— OK, je fais vite. Je me demandais : quand t'étais jeune, quand t'étais petit, en fait, pis même un peu après…

— *Oh boy* !

— … est-ce que tu manquais de quelque chose, Antoine ? Je parle pas de linge ou de bouffe, mais de ce qui se passait en toi.

— Euh…

— Attends, je reformule : je me demande en fait si ta façon de te comporter te permettait pas de gagner quelque chose dont t'avais besoin, mais que t'arrivais pas à formuler, y paraît que ça se fait inconsciemment. Peut-être qu'y a quelque chose qu'on voyait pas, ton père pis moi, qu'on comprenait pas, pis peut-être que tu faisais ça pour aller chercher ce qui te manquait, pour le dire sans le dire, je sais pas si tu comprends ce que je veux dire…

— Maman, je te rappelle tantôt.

— OK, mon bébé.

Ma bague affichait turquoise.

— CALME ! MOI, CALME ?

Je l'ai lancée de toutes mes forces par la vitre baissée de mon auto, sans regarder. Forte de son plastique *cheap*, arrogante comme la baratineuse qu'elle était, elle a rebondi sur la voiture stationnée juste à côté de la mienne avant de revenir dans la mienne et de rouler sous mon siège. J'ai plongé la main jusqu'à ce que ça coince pour essayer de l'attraper ; rien à faire, elle s'était glissée dans une craque du tapis pour échapper à mes envies de destruction. Pour me calmer, je me suis imaginée en train de la réduire en poudre à coups de masse. J'étais venue apprendre à être une meilleure éducatrice, je ressortais avec la conviction d'avoir été une mauvaise mère.

■

— Bonjour Malika !

— Diane ? Mon Dieu, en quel honneur ?

Je n'ai jamais été le genre de belle-mère envahissante qui débarque à l'improviste. Son étonnement me rassurait sur ce point. Pourtant, malgré toutes les bonnes intentions dont je m'étais bardée en venant chez mon fils, mes yeux n'ont pas pu s'empêcher de cartographier l'état du balcon : poubelle débordante, amoncellement de boîtes de carton mouillées, plantes moribondes, toiles d'araignées tissées serré serties de mouches en décomposition, couches de feuilles mortes à moitié compostées, clous rouillés, emballage de Kit Kat collé au sol par une substance gluante quelconque, etc. Pourquoi ? Comment ? Pour moi, rien à comprendre. Mon plus grand laisser-aller ménager des trente dernières années avait été de laisser pousser mon gazon jusqu'à ce qu'il devienne du foin, quand je m'étais séparée.

— Je voulais voir Antoine, mais je sais qu'y est pas encore revenu. Je me demandais si je pouvais l'attendre ici.

— Ben oui, voyons, rentre. C'est rien de grave ?

— Ben non, juste une petite visite.

C'était inconsciemment calculé, j'avais besoin de le voir dans son élément, de m'immiscer dans son quotidien sans qu'il lui ait donné une forme qui saurait me plaire, à moi, et peut-être juste à moi, j'avais au moins l'intelligence de le reconnaître.

— Ça sent bon ! Tu fais quoi ?

— Du chili végé.

— Végé ?

— Je le dirai pas à Antoine, y s'en rendra pas compte : j'ai émietté du tofu extra-ferme, avec les épices pis la sauce, on dirait de la viande. J'y ai fait le coup avec la sauce à spag l'autre jour, y a même pas remarqué.

— Faudrait que tu me montres, tout le monde vire végé de ce temps-là.

En sa qualité de graphiste, Malika travaillait très souvent à la maison. Son bureau était aménagé pour l'instant sur la table de cuisine, entre la vaisselle sale, le panier de linge plein et les cannettes de thé matcha couronnées de drosophiles au vol erratique. Ils auraient eu les moyens de se prendre un appartement plus grand ou même de s'acheter une maison, les boîtes multimédia s'arrachaient Antoine, mais ils étaient bien dans leur petit cocon. Je l'ai trouvée belle, sereine, ma bru, aussi belle que le mot « bru » est laid. Elle se mouvait dans sa cuisine en gestes fluides, comme si elle faisait corps avec elle, dans ce désordre aussi confortable pour eux qu'étourdissant pour moi.

— Continue de travailler, fais tes affaires, occupe-toi pas de moi. Tiens, je peux peut-être plier ton linge en attendant ?

— Pourquoi tu te reposerais pas ? T'arrives de travailler en plus.

— Bah ! C'était juste une petite formation. Pis ça me détend.

— Comment ça se passe, à l'école ? T'aimes ça ?

— Oui ! Oui oui, j'adore. C'est… *challengeant.*

— Ça doit aider, d'avoir eu des enfants ?

— Pour la base, oui, mais on est quand même à une autre époque.

— Qu'est-ce qui a tant changé ?

— En fait…

Je me suis retenue de dire ce que je pensais en pliant des serviettes de bain qui avaient dû être blanches avant d'être lavées, de façon répétée, avec le foncé.

— … je sais pas vraiment, au fond, j'ai jamais travaillé dans une école avant, je peux pas comparer.

— Ç'a l'air qu'y sont pus capables de se concentrer, à cause des écrans.

— C'est des petits de maternelle, y sont jamais attentifs longtemps à cet âge-là, c'est normal. Mais y sont adorables. Y en a des plus vivants que d'autres, évidemment… Y a une chose qui est sûre, en tout cas: je retournerais jamais dans un bureau.

Quand Antoine est entré et qu'il a vu ses sous-vêtements en pile proprette sur le coin de la table, je m'en suis voulu de ne pas avoir su attendre en me rongeant les ongles.

— Man, j'ai essayé de te rappeler à peu près dix fois.

— Mon téléphone! J'ai dû le laisser dans l'auto, je l'oublie toujours.

— J'étais presque inquiet.

— S'cuse-moi, mon bébé, tu le sais, moi pis mon téléphone…

— Bon, c'est l'heure de la crise existentielle?

— Exagère pas, c'est juste une question comme ça, pour savoir, pour comprendre quèque chose.

— Je vais aller faire des petites courses au coin, moi. Le chili mijote, juste jeter un œil, OK?

On est restés seuls, Antoine et moi, à se regarder dans le blanc des yeux. La question que je voulais poser une heure plus tôt et qui m'apparaissait si simple s'était désagrégée en syllabes confuses qui ne formaient plus rien d'intelligible. Heureusement, il a enchaîné sans m'attendre.

— Maman, j'suis juste différent d'Alex pis de Chacha. J'suis pas parfait, moi.

— Mais personne t'a jamais demandé d'être parfait…

— Peut-être, mais j'étais coincé entre deux enfants parfaits, tout ce que j'étais pas paraissait plus. C'est suant, les parfaits, quand t'es juste… normal.

— Mon bébé…

— Pis quand j'essayais, ça marchait pas, de toute façon.

— Antoine, c'est épouvantable…

— Mais je pensais pas à ça, maman, j'étais juste moi pis c'était ben correct. C'est juste parce que tu m'as posé la question tantôt pis que je me suis mis à y réfléchir dans l'auto pour essayer de te répondre, mais je me disais pas ça dans le temps, je pensais pas à ça, pas de cette façon-là en tout cas. J'avais peut-être l'air paresseux à cause de la comparaison, c'étaient des *high achievers* en maternelle, qu'est-ce que je pouvais faire?…

Je me suis assise sur une chaise où s'entassaient un manteau, un foulard, un sac réutilisable fleuri de chez IGA.

— Pis y avait Alex à protéger, Chacha à couver… Maman, pleure pas, j'ai manqué de rien, j'étais heureux, j'suis heureux…

— Ça me fait de la peine de t'imaginer, tout petit, en train de te dire que t'es pas «parfait», que t'es pas bon comme les autres…

— Mais je me disais pas ça, je viens de te le dire… pis ça va rien changer de toute façon.

— Mais quand même…

— Viens ici, là.

Quand Malika est arrivée, mon bébé imparfait me consolait dans ses grands bras. Elle s'est tapé le front avant de repartir.

— J'ai oublié d'acheter de la Corona pour aller avec le chili !

J'ai décliné l'offre de rester à souper, je ne m'étais pas annoncée, on ne débarque pas comme ça chez les gens. De toute façon, je ne voyais pas où on allait pouvoir s'asseoir tous les trois. Une fois la porte refermée derrière moi, j'ai ramassé le papier de la Kit Kat par terre et l'ai fourré au fond de ma poche.

Pour la toute première fois depuis notre séparation, j'avais besoin de parler à Jacques. Claudine n'aurait rien ménagé pour me dire que j'avais été la mère la plus extraordinaire que la Terre ait jamais portée, je ne pouvais donc pas l'appeler. Pour l'heure, je voulais un son juste, en provenance de l'intérieur de la cellule. J'avais également besoin, comment le nier, de me décharger d'une partie de ce poids en le partageant avec l'autre coupable.

— On le punissait trop, on aurait dû comprendre que ça l'aidait pas.

— Diane, on le punissait quand y méritait de l'être, on a pas agi différemment avec lui qu'avec les autres, les règles étaient les mêmes pour tout le monde.

— T'es sûr ?

— Y les suivait juste un peu moins.

— Mais c'est pas qu'y les suivait moins, y faisait juste… rien.

— Ça revient au même, si on y demande quelque chose et qu'il le fait pas, y a des conséquences qui suivent.

— Mais y cherchait à nous provoquer en faisant ça, c'était comme de l'auto-sabotage ! Y sentait qu'y était pas aussi bon que les autres, fait qu'y nous provoquait pour nous dire qu'y était pas comme eux !

— Mais c'est pas vrai qu'y est pas aussi bon que les autres, on y a jamais dit ça ! Y était juste pas doué pour les mêmes affaires. Regarde aujourd'hui, c'est un génie en informatique. OK, y aime pas le sport, y aimera jamais ça…

— Ma faute.

— … mais y est plus créatif que les autres. Oui, y est broche à foin dans son organisation, sa maison…

— Son apparence, un peu.

— … mais y est archi-rigoureux dans son travail, responsable…

Je m'en suis voulu de n'avoir pas trouvé des mots aussi simples et réconfortants au lieu de mon babillage braillard de mère repentante sur le tard. Nous l'avions traité justement, cet enfant, nous l'avions aimé autant que les autres, il était différent, mais n'avait pas moins réussi qu'eux. Il avait le bonheur simple de celui qui se laisse pousser en sachant mettre les freins au bon moment pour prendre la bonne direction.

— Attends-moi une seconde, Charlène me fait signe, ç'a l'air urgent.

Notre conversation de parents en introspection dans leur passé familial m'avait tant accaparée que j'avais presque oublié que Jacques était désormais mon ex, et que sa femme venait d'expulser un prince des collines.

À la seconde où l'image de Nunuche s'est réimposée à mon esprit, je lui ai raccroché au nez, sans hésitation, sans remords aucun. J'étais déjà classée dans la catégorie des folles de service, je me foutais de ce qu'il en penserait. Il m'avait calmée, soit, mais je ne me sentais pas obligée de lui être reconnaissante pour si peu. Son déficit en conneries remplissait encore, dans le grand livre de notre histoire, un trou abyssal. Alors, j'ai fait une jeune de moi, j'ai envoyé un texto télégraphique à Claudine.

solution temporaire au pc

Pas de majuscule, pas de verbe, pas de ponctuation, pas signé.

■

Nous venions de décerveler notre deuxième bouteille de solution temporaire rose – Rosanne ne voulait plus boire autre chose – quand Adèle est débarquée sur la terrasse, la face en feu. À trois, nous en étions à peu près arrivées à la conclusion que nous avions fait notre gros possible avec nos enfants. Le vin avait anesthésié ce qu'il nous restait de culpabilité.

— Mon fer plat est mort !
— Mes sympathies.
— Je vais avoir l'air de quoi, moi ?
— Tu dis ça comme si c'était de ma faute.
— T'as pas voulu m'en acheter un nouveau l'autre jour.
— Celui-là marchait encore !
— C'est un *cheap*, pis là, y marche pus !

— Tu t'en vas où, de toute façon ?

— Chez Noémie.

— Sa petite sœur fatigante est pas là ?

— On s'en fout, de sa sœur !

— Pourquoi tu peux pas y aller avec tes cheveux naturels, chez Noémie ?

— Parce que j'ai l'air d'une vraie folle !

— Mais c'est juste Noémie…

— Ben non, va falloir que je prenne l'autobus, vu que tu bois encore du vin pis que tu pourras pas venir me mener parce que t'es trop saoule.

Claudine lui a servi un sourire d'envie de chier d'anthologie. Ça lui a donné la force de faire comme si elle n'avait rien entendu.

— T'as pas l'air folle, tes cheveux sont ondulés, *sweetie*, comme les miens.

— C'est pour ça que j'ai pas le choix de les aplatir, sinon j'ai l'air de la guenon dans *Croods*.

Grosse gorgée de vin, inspiration profonde.

— On a les mêmes cheveux, ta grand-mère pis moi, pis on les a jamais aplatis, y en avait pas de fer plat dans le temps…

— Ben oui, on le sait, pis vous aviez juste des oranges à Nouel…

— On a réussi à se marier pareil.

— Mais pas à rester mariée, dans ton cas…

Rosanne s'est redressée d'un bond.

— Manque pas de respect à ta mère, toé !

— C'est juste une blague.

— Sont plates, tes blagues. Excuse-toi.

— Mais là, c'est parce que…

— TOUT DE SUITE!

— Je m'escuse…

Adèle devenait toute molle devant sa grand-mère. Elle a refermé la bouche, laissé tomber ses bras sur ses cuisses, baissé les yeux. Son fer décédé oscillait au bout du fil électrique, comme un pendu.

— Voir si on perd son mari à cause de ses cheveux… ça prendrait un bel innocent… Y avait pas gros de machines, dans mon temps, mais on se débrouillait. On réparait toute, on reprisait toute. Pour le reste, on s'arrangeait. Du temps qu'on avait pas encore de sécheuse, ton grand-père partait faire un tour de char avec les couches coincées dans les fenêtres pour les faire sécher, ça te donne une idée.

— Ben là, y avait pas de pharmacies?

— C'était des couches en tissu, fallait les vider pis les laver.

— Ark!

— Pareil pour les serviettes de madame.

— Pas de détails, merci!

— Va me chercher le fer à repasser pis la planche, je vais te montrer comment te faire les cheveux.

— Pas avec un fer à linge!

— Pourquoi pas?

— C'est pour le linge.

— Du linge, des cheveux, ça se défroisse de la même façon.

— Reste assise, maman, ton pied.

— Le jour où je pourrai pus me lever, enterrez-moi.

— Tu veux pas te faire incinérer, maman?

— Façon de parler.

Une fois Rosanne et Adèle à l'intérieur, Claudine m'a regardée sévèrement.

— Trouves-tu que j'ai l'air d'une guenon ?

— Hum… quand tu parles, non.

— C'est peut-être ça, le problème.

— Quel problème ?

— Avec ma *date*.

— Quelle *date* ?

— Marc, le gars de Tinder.

— C'est quand, ta *date* ?

— C'était à midi.

— Aujourd'hui ?

— Hum hum.

— Mais tu me l'avais pas dit !

— On a décidé de se donner rendez-vous pour le lunch, de même, y voulait qu'on se voie avant de se lancer dans un gros souper, pis toute la patente.

— Pis tu m'as pas appelée ?

— Trois fois.

— Merde ! J'ai pas vu.

— Pas grave, j'avais rien à dire.

— T'es pas allée ?

— Oui, j'suis allée.

— Y est pas venu ?

— Ben oui, y est venu, sinon je te parlerais pas de mes cheveux.

— C'est vrai. OK, pis ?

— Y est reparti.

— Commet ça, y est reparti ?

— Je l'ai vu arriver au restau…

— Quel ?

— Édouard. J'avais pris une table sur le bord de la fenêtre, au fond. Y ressemblait pas tant à sa photo.

— Non ? Plus gros ?

— Plus vieux, je dirais, mais je l'ai reconnu quand même.

— Beau ?

— Dur à dire. Bien habillé…

— OK.

— J'y avais décrit ce que je porterais, à peu près où je serais assise, donc y m'a vue, y a remercié l'hôtesse qui est venue l'accueillir, y s'est avancé vers moi… y m'a regardée d'in 'yeux, j'ai souri…

Elle fixait le vide pour mieux repasser son cauchemar, sa main libre placée sur son cou.

— … pis y a passé son chemin.

— Quoi ? Y s'est pas arrêté ?

— Non.

— Y t'a pas parlé ?

— Non. Y a viré de bord pis y est ressorti comme y est rentré.

— L'osti de fond de short !

— Difficile d'être plus clair, on va y donner ça.

— OK, ç'a tellement pas de classe ! Y aurait pu prendre dix minutes, s'asseoir un peu…

— Pour me dire quoi ? « Excuse-moi, mais ça ira pas, j'aime pas les grosses » ?

— T'es pas grosse.

— Diane…

— Y existe plus que deux formats.

— Quand un gars vire de bord rien qu'en te voyant, c'est pas parce qu'y te trouve conne.

— C'est un trou de cul fini.

— Ou y aimait pas mes cheveux de guenon.

Elle a bu d'un trait les deux pouces de vin qui s'éventait au fond de son verre.

— Lâche ça, ces applications de marde-là.

— Pis je fais quoi ? Je m'inscris dans un club de jogging ?

— Pourquoi pas ? Ça s'apprend, comme le reste.

— Regarde qui parle.

— Justement, j'ai des *shoeclacks* qui font pas grand-chose dans l'entrée.

— Dis-moi donc, tant qu'à parler d'affaires plates… penses-tu que j'ai un problème d'alcool ?

— On boit beaucoup.

— T'es drôle, toi, « on ». Je.

— Peu importe.

— Penses-tu que j'suis alcoolique ?

— Du point de vue de la médecine, oui. Moi aussi. Dans 'vraie vie…

— OK, on y va avec la maudite règle de trois : lundi, mardi, mercredi, on boit pas. Ça nous laisse les cinq à sept du jeudi pis des longues fins de semaine.

— On pourrait même remplacer l'apéro par un petit jogging.

— *Wooo !* On se calme ! Une bataille à la fois.

■

Quand je lui ai rendu son horrible sac à main, à la belle Sophie, le lundi suivant, elle avait le regard triste d'un ours en cage. L'excitation qui faisait valser les volants de son *jumpsuit* quelques jours auparavant s'était éteinte en laissant sur ses joues une patine crayeuse. Pendant le petit cinq minutes où nous avons pu échanger au changement de *shift*, je n'ai pas réussi à la faire rire en lui racontant les niaiseries qu'elle avait écrites sur les fameux formulaires ni à trouver les mots pour tailler une brèche dans notre relation trop polie.

8

Où je fais des salamalecs à un vingt piasses mouillé.

Le père de la micro Éléonore avait pris l'affaire en main : il avait trouvé un bon cordonnier qui avait accepté de fabriquer une courroie de cuir assez longue pour que les petits de la taille d'Éléonore puissent frapper le ballon-poire à bout de poings. Il s'était même donné la peine de venir faire des tests dans la cour de récréation durant la fin de semaine pour s'assurer que la pièce convenait. Ça semblait si simple que tout le monde s'en est voulu de ne pas y avoir pensé avant. Le gentil papa débrouillard – ingénieur de métier, on l'aura deviné – était reparti tout sourire, ce matin-là, sous les battements de cils admirateurs de sa fille (et de toutes les petites madames présentes dans la cour d'école, moi incluse). Adorable papa capable de faire oublier les autres. Dans l'autre millénaire, *long long time ago*, j'avais marié un gars comme ça, qu'on avait fini par me chiper. J'ai eu une bonne pensée pour la femme de l'ingénieur.

Tout allait pour le mieux dans le meilleur des mondes ce matin-là, donc, jusqu'à ce que Kathleen, la beaucoup moins adorable titulaire de la sixième année B s'en mêle.

— On peut pas réserver un des trois poteaux juste pour les petits, y sont pas assez nombreux.

— On va pas commencer à compter, quand même…

— Ben oui, justement, si on veut être juste, faut compter : y a quatre cent cinquante élèves dans l'école, pis y a juste à peu près vingt-cinq petits trop petits pour les ballons ordinaires, ça fait pas cinq pour cent, on peut pas leur donner trente-trois pour cent des poteaux.

— Mais y veulent jouer eux aussi !

— Y joueront quand y seront grands, les autres ont fait leur temps.

— *Wow* ! Évoluons surtout pas.

— Y sont pas capables de frapper le ballon, de toute façon.

— On le sait pas si y sont capables, y ont jamais pu essayer !

— Y ont des modules. Y ont l'âge de grimper, pas de frapper.

— Les modules sont pleins de grands qui poussent les petits !

— Y ont juste à jouer avec des morceaux d'asphalte pété.

Une authentique pisse-vinaigre. Une outre gorgée de fiel qui se vouait tout entière à la détestation et la chicane. Suivant le principe que les gens méchants sont avant tout des êtres malheureux, on devinait qu'elle en avait mangé une satanée brassée à un moment ou un autre de sa vie. Si le litige n'avait impliqué que moi, j'aurais laissé tomber.

— Pis c'est pas de l'équipement fourni par l'école. Si y a un accident, on va être dans le trouble.

— Franchement, on parle d'une courroie un peu plus longue.

— Justement, si y en font pas des plus longues, c'est peut-être parce que c'est dangereux.

— Houuuu ! Attention, *Massacre à la courroie* !

En sa qualité d'alliée dont je ne pourrais bientôt plus me passer, Linda m'a suivie.

— *Amityville, la courroie du diable* !

Mais la grosse pas fine ne s'est pas laissé démonter pour si peu. Elle a répliqué avec un argument facile, péremptoire, tout en arrachant la courroie des mains de Linda.

— C'est la direction qui va décider de toute façon.

La femme plate que j'étais avant n'aurait probablement rien fait, la nouvelle a tendu la main d'un air décidé, en serrant les dents, le ça-suffit chaloupant.

— Donne-moi la courroie.

— C'est la direction…

— DONNE !

Hors de question qu'elle l'emporte avec elle, trop de risques qu'un X-Acto tombe accidentellement sur la pièce précieuse. Elle me l'a rendue lentement, trop lentement. J'ai tiré dessus dès que le cuir est entré en contact avec mes doigts et suis retournée illico dans le coin des maternelles où m'attendait le cinq pour cent des petits le plus triste que j'aie jamais vu. Au milieu de la troupe en désarroi, totalement silencieuse – seul le bruit du fracas des roches avec lesquelles Devan essayait de mettre le feu à l'école résonnait derrière –, Éléonore tordait le bas de sa robe dans ses doigts baguettes, la lèvre tremblante. La courroie pensée par son père avait failli nous échapper. Oh que non. Je me suis dirigée sans hésiter vers le troisième poteau que les grands accaparaient à cent pour cent et j'ai lancé avec détermination, comme si l'ordre émanait du sommet de la hiérarchie: « OK, c'est l'heure du changement de ballon! »

— Eille! On attendait notre tour, nous autres!

— Vous le perdez pas, votre tour, vous aurez juste à vous mettre à genoux! Si ça vous tente pas, y a les deux autres files. Sinon les modules. Ou jouez avec des morceaux d'asphalte pété.

Une fois le ballon installé, je me suis tournée vers madame Kathleen et sa tête d'enterrement plantées sur le palier de béton d'où elle observait la scène. Je lui ai fait un sourire d'agent d'immeubles. Je savais, évidemment, que ma résistance n'était rien de moins qu'une déclaration de guerre, mais la Vie m'avait rompue aux hostilités, ces derniers temps, et cette première victoire m'exaltait. Et pour les petits, les miens, j'étais l'héroïne du jour.

■

C'est auréolée de cette grandeur que je suis tombée, après l'heure du dîner, sur une vieille toute menue, toute fripée, qui montait péniblement le grand escalier de l'école en s'agrippant à deux mains à la rampe sertie de gommes séchées. Sa peau et ses cheveux étaient gris bleu, ses vêtements, vert menthe. Elle avait couvert ses épaules d'un châle qui ressemblait beaucoup à un jeté de divan. Il n'y avait pas des tonnes de choix possibles: c'était une arrière-grand-mère venue chercher un petit-petit-fils pour l'amener chez le dentiste, une intervenante venue rencontrer les élèves pour les sensibiliser à la réalité des vieux abandonnés dans des CHSLD ou une personne souffrant d'Alzheimer un peu perdue. Je me suis approchée doucement.

— Bonjour madame!

— Oh! Bonjour... bonjour...

— Est-ce que je peux vous aider à monter?

— J'avais pas prévu qu'y aurait autant de marches, ce serait ben fin.

— Tenez, agrippez-vous à mon bras.

— Oh... c'est commode, ça, un bras solide de même, vous êtes dans la force de l'âge, vous, c'est beau de voir ça.

Elle a tapoté doucement mon avant-bras pour en éprouver la vigoureuse jeunesse. C'était la première fois qu'on me parlait de mes rondeurs en termes de force. Si j'avais pu lui transférer quelques livres, ça nous aurait bien arrangées toutes les deux.

— Vous venez chercher un enfant?

— Non, non non, malheureusement non, j'aurais besoin de voir quelqu'un.

— Je vous conduis au secrétariat?

— Je sais pas à qui m'adresser, mais on pourrait peut-être commencer par là.

— Vous voulez voir qui?

— Un homme fort, ce serait bien.

— Un homme fort?

Sous la poussée des rides, ses yeux ont complètement disparu. Sa façon de rire.

— J'ai vu qu'y avait des rénovations dans l'école, je vois passer des gros camions toute la journée, pis des hommes avec des chapeaux melon, je reste juste à côté...

— La maison avec des volets?

— Oui, c'est ça.

— Mignonne...

— Si un des travailleurs pouvait venir chez moi, j'aurais un petit travail pour lui. Un travail payé, évidemment, je viens pas quémander.

— Quel genre de petit travail?

— Enlever la moquette du salon.

— Ça ramasse la poussière, ça.

— Oh oui! La poussière pis tout le reste.

— Vous avez des problèmes d'allergies?

— Non non non, ça existait pas dans mon temps, ça, mais on avait toutes les autres maladies, on s'ennuyait pas. Des bibittes pas belles avec des beaux noms... C'est une très, très vieille moquette.

— Vous l'avez depuis quand?

— Depuis toujours.

Ce qui nous situait quelque part entre les deux guerres mondiales, considérant que «très, très vieille», dans la bouche d'une femme d'un âge aussi vénérable, nous ramenait forcément quelques générations en arrière, bien avant l'invention du fer plat et des couches jetables, au temps où on mangeait de la misère pour souper.

— Écoutez, je vais vous trouver une chaise, pis je vais aller voir les gars du chantier. Je les connais, y sont doux comme des agneaux, y en a peut-être un qui sera intéressé par votre offre. Ça va vous éviter l'aller-retour dans la cour pis l'autre volée de marches.

— C'est trop de bonté, ma belle, je peux pas refuser; je suis pas contre l'idée de mourir, mais après avoir enlevé mon tapis.

— Votre nom ?

— Madeleine. Madeleine Tremblay.

Je l'ai installée sur une petite chaise aux pattes chaussées de balles de tennis et suis allée trouver le plus beau tatoué de la cour. Il faisait quelque chose avec un outil quelconque – c'est le plus de détails que je peux donner sans dire n'importe quoi.

— S'cuse-moi, Guy, je peux-tu te parler deux minutes ?

— Tiens ! Lady Di !

— Y a une dame qui est au secrétariat, c'est une voisine, la petite maison blanche, juste là…

— À cause du bruit ?

— Non, pour son tapis, à se cherche un homme fort qui pourrait y enlever son tapis de salon.

— Clouté ou collé ?

— Euh… j'ai pas posé la question.

— OK.

— Y aurait pas un de tes gars qui pourrait faire ça après son *shift* ? C'est juste à côté, pis la madame tient à payer.

— JOHNNY ? JE PARS DEUX MINUTES ! ATTENDEZ-MOI POUR DESCENDRE LA BENNE ! OK, je vais aller voir ça.

La vieille femme n'avait pas bougé d'un poil, comme si je l'avais mise en punition. Elle a semblé tout à fait ravie du format de l'homme que je lui avais dégoté. Sa petite bouche a fait un grand « Oh ! » d'émerveillement.

— Mon Dieu !

— Bonjour madame !

Elle a déposé ses deux mains dans celle qu'il lui tendait, comme un animal qui se blottit. Guy aurait très bien pu soulever ce petit tas d'os pour franchir les quelques pas qui nous séparaient de chez elle, comme on l'aurait fait pour une jeune mariée. Mais nous avons patiemment descendu les marches, une par une, les deux pieds à plat sur chacune d'elles, et avancé au ralenti jusqu'au pas de sa porte.

— Gardez vos chaussures, vous allez salir vos bas.

L'odeur nous a tout de suite pris à la gorge. J'ai eu l'impression d'avaler par le nez une grande lampée d'acide. Un trio de chats tigrés avec des mines de cerbères sont venus à notre rencontre. Guy m'a regardée du coin de l'œil en murmurant « ammoniac ». Ça nous faisait une charmante première sortie. Il a retiré sa veste molletonnée pour la déposer sur un crochet de l'entrée.

— Vous avez combien de chats, madame Tremblay ?

— Oh, quatre ou cinq.

Sans même bouger, sans fouiller la noirceur, juste en balayant devant moi, j'arrivais déjà à en compter six. Il y en avait vraisemblablement beaucoup plus que ce qu'elle croyait.

— Le petit carreau de la fenêtre de la cuisine est ouvert, les chats vont et viennent à leur guise, je perds un peu le compte.

— Ce serait pas mieux de le fermer ?

— Y est coincé.

— Depuis longtemps ?

— Depuis toujours.

— On peut sûrement arranger ça.

J'ai pensé aux histoires d'horreur où des personnes âgées, mortes et oubliées, finissaient bouffées par leur chat, leur chien, leur hamster. J'ai eu le frisson, même s'il n'y avait, dans les faits, à peu près rien à manger sur cette femme. Guy s'est passé une main sur le visage en se demandant, j'imagine, par où commencer. Dans certaines parties du tapis, qui avait sans doute jadis été beau et moelleux, nos pieds s'enfonçaient en *squichant* de façon inquiétante. J'ai levé la tête par réflexe, à la recherche d'une fuite d'eau. Le plafond était lézardé de partout, de grands pétales de peinture écaillée pendaient çà et là, prêts à plonger. Mais pas de trace d'infiltration.

— Va falloir déplacer les meubles… ça va me prendre des outils, c'est clouté… OK, je reviens.

— Là, tout de suite ? Tu peux envoyer quelqu'un tantôt, non ?

Il a penché la tête de quelques degrés, fait un sourire en demi-teinte. Ça ne pouvait pas attendre, évidemment.

— Je donne deux-trois consignes pis je reviens.

— OK. Dis-moi quoi faire, je pourrais déplacer des meubles en attendant ?

— Au fond de la pièce. Commence par les chaises, attends-moi pour le buffet. Force pas après ça, je m'en occupe.

Force pas. Je me suis sentie précieuse. Madeleine était ravie, elle n'en finissait plus de nous remercier et de s'excuser de n'avoir rien à nous offrir à manger. À une autre époque, il y aurait eu du sucre à la crème, des carrés aux dattes, du pain de viande, des pets de sœurs, sa spécialité.

— Vous avez des enfants ?

— Tout le monde est mort depuis longtemps. Mes deux fils aussi, Adrien à cinquante-six ans, Paul à soixante-douze ans. C'est eux dans les cadres, là.

— Je suis désolée.

— Quand Dieu rappelle son monde, faut accepter, qu'y disent. Pour mon mari, mes frères et sœurs, les autres, je pouvais encore comprendre... mais pour mes fils, non, jamais... Y est pas venu nous chercher dans le bon ordre, Y avait pas le droit de faire ça, j'ai jamais pu Lui pardonner... C'est pour ça qu'Y me force à vivre, c'est ma punition. Y donne des leçons, mais Y aime pas en recevoir.

Un gros chat noir aux poils roussis se frottait sur ma jambe, le cul retroussé. J'ai hasardé une caresse dans son poil motonneux. À l'idée de la faune parasitaire qui pouvait être en train de s'y nourrir, j'ai retiré ma main comme si je l'avais foutue dans une prise électrique.

— Vous nourrissez tous ces chats-là ?

— Ben non, y s'arrangent, y a tout ce qu'y faut de vermine dehors. Y me font même des cadeaux.

Elle ricanait, la main sur la bouche. J'ai pensé grippe aviaire, E. coli, salmonellose, maladies insidieuses qui se glissent dans l'eau, le corps, le cerveau.

— Je leur donne de la moulée sèche l'hiver, quand y a pus moyen de se trouver une mouche à manger.

— Vous faites vos courses vous-même ?

— Non, c'est Malik, le livreur de la pharmacie, qui me fait ma commande. C'est un gentil garçon. Y me livre ça en même temps que mes médicaments. Y a tout ce qu'y faut à la pharmacie, aujourd'hui, pour ce que je mange de toute façon.

— Vous commandez votre nourriture à la pharmacie ?

— Oh, je suis pas difficile.

— Mais y vendent pas de fruits, pas de légumes...

— Je les mange en canne. Y font de la belle macédoine de légumes, des poires dans le sirop, toutes sortes d'affaires.

— Pour la viande?

— En canne aussi. C'est un peu salé, par contre, les viandes pressées…

— Y a tellement de produits chimiques pis d'agents de conservation là-dedans, ça peut pas être bon pour vous de manger juste ça.

— Les agents de conservation, c'est peut-être ça mon problème…

Guy est débarqué à ce moment-là, armé, décasqué, une joue barbouillée d'une graisse quelconque, beau comme le sont toujours les sauveurs. Je remarquais, pour la première fois, que des petits fils d'argent parsemaient sa tignasse. On finirait tous complètement décolorés, comme Madeleine, des spectres mangeurs de pois en canne. Mais malgré tout, dans ce décor suranné saturé d'ammoniac et peuplé de chats galeux, probablement multi-infectés, il flamboyait. *Frencher*. Maintenant. N'importe comment. Claudine avait raison. Mais une femme dans sa vie, peut-être, mais l'attirance réciproque à vérifier, mais la moquette et tout le reste…

On a déplacé le buffet au milieu de la pièce. Guy s'est attaqué au déclouage en soufflant et souffrant, le genou au sol, dans la sauce épaissie que les jours avaient déposée entre les fibres naturelles du tapis. On a réussi à soulever la tranche du fond et à lui imprimer un mouvement de torsion qui nous permettrait, éventuellement, en manœuvrant habilement avec les bras et les jambes, de rouler la moquette. Il fallait avancer pas à pas, maintenir le rouleau en place, éviter les chats qui jouaient aux rois de la montagne et redistribuer les meubles sur les parties libérées du plancher au fur et à mesure qu'on arrivait à faire progresser le rouleau puant. J'ai ravalé mon dédain de vieille bourgeoise accro aux antibactériens et j'y ai mis tout ce que j'avais de force pour essayer de convaincre mon beau dévoué qu'il n'aurait pas besoin, comme il me le proposait depuis qu'il avait évalué le poids de la moquette, d'aller chercher l'un de ses gars. Il me semblait que faire de moi un homme, pour reprendre cette détestable expression, était pour l'heure la meilleure façon de me mettre en valeur. Tant qu'on pouvait oublier l'odeur.

Armés d'un gros rouleau de corde que Guy avait eu la précaution d'apporter, on est parvenus à saucissonner façon grosse brioche crasseuse le mastodonte laineux qui avait accueilli les déjections de la faune environnante pendant plus d'un demi-siècle. Prisonnières d'un labyrinthe qui rôtirait bientôt dans l'estomac d'un incinérateur municipal, d'antiques colonies d'acariens devaient, au moment où je me réjouissais de les voir condamnées, s'être lancées dans un vain périple migratoire vers les extrémités du rouleau. Il nous aurait fallu d'immenses sacs de plastique pour les contenir. Les chats faisaient un examen minutieux des odeurs mêlées qu'exhalait le pipeline d'urine et de parasites.

— Bonne nouvelle, votre plancher est en pas pire état. Avec un bon sablage, y a peut-être moyen de faire de quoi. Mais y a eu de l'eau dans le coin, là-bas, faudrait voir d'où ça vient.

— C'est à cause de la fenêtre, je la gardais ouverte pour les chats, avant, mais j'ai réussi à la fermer à la fin de l'hiver passé.

— À la fin de l'hiver ?

— Oui, quand elle a dégelé.

— Y a personne qui vous donne un coup de main avec la maison, madame ?

— Tout le monde est mort. Je me débrouille comme je peux. Tant que les murs tiennent.

— Bon. Je vais revenir dans pas long avec deux autres gars pour sortir ça. On va l'envoyer directement dans le *container*. Je vais vous mettre en contact avec quelqu'un pour votre plancher.

— Vous faites pas ça, vous, les planchers ?

— Non, malheureusement.

— Oh, c'est dommage.

— J'suis déjà débordé avec le chantier d'à côté.

— C'est vrai, pis moi qui vous retiens.

— Pas de trouble, madame. Je peux venir aussi quand le gars des planchers sera là, si ça peut vous rassurer.

Pas plus folle qu'une autre, j'ai sauté sur la proposition qui ne m'était pas adressée.

— Bonne idée, je viendrai moi aussi, on sera deux pour vous conseiller. On pourra en profiter pour regarder si y a pas d'autres travaux urgents à faire.

Elle a levé les bras pour poser ses mains sèches et froides sur mes joues encore humides de sueur. Ses lèvres ont esquissé un bisou qu'elle m'aurait collé dans le front si j'avais eu la bonne idée de plier les genoux. On devait avoir l'air d'une paire d'abricots : moi, le juteux, elle, le séché.

— Oh ! J'aurais dû aller vous trouver ben avant, vous êtes mes anges. Y a toujours du bon monde dans une école. Je vais pouvoir mourir tranquille.

Dans le coin droit de mon œil, une petite tache beige chambranlante est apparue : un bébé chat.

— Mon Dieu ! Y a aussi des chatons ?

— Caramel en a eu trois. Vous pourrez pas les approcher, elle vous mangerait toute crue. J'y laisse la chambre du fond, c'est comme une entente qu'on a : elle me protège des voleurs, pis moi, je la laisse en paix. Y a rien de plus malin qu'une maman chatte.

Une grosse tête broussailleuse est apparue au-dessus du petit, avec des yeux assassins et une posture de panthère aux abois. Elle a grogné et laissé filer un *chhhhh* longuement appuyé, bordé de canines convaincantes, avant de les planter dans le gras de cou de son chaton pour le ramener avec les autres. Il s'est enroulé sur lui-même comme un escargot poilu avant de se laisser emporter sans rechigner.

— Faudra peut-être faire venir quelqu'un pour les chats, ça vous en fait beaucoup.

— Je veux pas qu'on les tue.

— On peut les soigner, les placer dans d'autres foyers, peut-être.

— Ah, ma belle enfant, mais personne veut d'un vieux chat magané qui traîne ses puces d'un coin à l'autre, sauf les vieilles folles comme moi.

— J'ai adopté un vieux chat magané, moi aussi. Y a juste trois pattes.

— Vous êtes un ange, vous, c'est pas pareil.

On est ressortis ensemble, Guy et moi, laissant Madeleine à sa sieste. Les aventures de l'après-midi l'avaient complètement épuisée. Les gars viendraient chercher le rouleau abandonné sur le balcon plus tard, au changement de *shift*, quand la faction de soir prendrait le marteau. Et nous avons accepté, en promettant de nous le séparer équitablement, le vingt dollars que Madeleine tenait à nous donner.

L'un à côté de l'autre, dans l'air frais de l'automne naissant, on sentait le fond de litière à plein nez. Lui encore plus que moi, puisqu'il s'était pratiquement couché sur la moquette pour parvenir à la tirer de là. Pour ne pas contaminer sa veste à carreaux, il la tenait à bout de bras.

— Je vais essayer d'appeler les services sociaux. Faudrait que quelqu'un s'occupe d'elle ou passe de temps en temps. On a pas fait le tour, mais les autres pièces doivent pas être ben mieux.

— Pis ça va prendre quelqu'un pour placer les chats.

— J'ai deux-trois contacts pour ça, je m'en occupe.

— C'est rare que je dis ça, j'suis habitué d'être crotté, mais je prendrais une douche, c'est un peu *too much* pour moi, la vieille pisse de chat.

Il prendrait une douche. Dans les plus délirants scénarios que je m'étais inventés depuis quelques jours pour me retrouver dans ses bras, il ne m'était jamais venu la folie de glisser une scène de douche nulle part. Je m'évanouissais assommée par un deux par quatre, je sauvais un travailleur embroché en le maintenant en vie par le bouche-à-bouche – et Guy m'en était amoureusement reconnaissant – ou je délivrais *in extremis* un enfant des flammes – et Guy me réanimait par le bouche-à-bouche –, mais j'avais totalement négligé la banale efficacité d'une simple douche, la fabuleuse série d'événements heureux qui pouvaient découler d'une cascade d'eau sur un corps. L'amour carbure au tragique en temps de guerre, au savon en temps de paix, c'est bien connu. De ne pas y avoir pensé avant ne m'a pas empêchée de prendre la remarque au bond.

— Je reste à deux coins de rues. J'ai une douche, une belle grande, toute neuve… pis du savon, pis une machine à laver. (Pis du vin blanc au frigo.)

Elle se dessinait, la belle tournure. Épatante, Diane.

— Ça fait déjà un bout que je suis parti. Attends une seconde, m'as voir si Phil peut gérer un petit quinze de plus.

Pendant qu'il s'éloignait pour passer son appel, après un instant de stupeur totale, je n'ai pas pu m'empêcher d'écrire à ma *best* en lettres archi-majuscules.

GUY VA PEUT-ÊTRE
VENIR PRENDRE
UNE DOUCHE CHEZ
NOUS !!!!

QUOI ?????????? TU
L'AS *FRENCHÉ* ?????

Il s'est passé la main dans les cheveux en revenant vers moi.

— (Doux Jésus. Oh mon Dieu, oh-mon-Dieu…)…

— C'est bon, je vais faire un boutte avec les gars de soir de toute façon, on est *short staff.* Y peuvent s'arranger quèques minutes.

Mon téléphone vibrait sans arrêt. J'ai jeté un petit coup d'œil discret : Claudine me bombardait de questions, de vignettes de filles qui crient en levant les bras et d'icônes colorées de toutes sortes qui risquaient de faire éclater les phylactères. J'ai eu la présence d'esprit d'ajouter, avec la moue de celle qui fait ça toutes les semaines, inviter des gars crottés à prendre une douche :

— Je pourrais même te faire une petite brassée *rapido*. J'ai une nouvelle laveuse…

— C'est ben fin, mais j'ai pas de linge de rechange.

Je l'ai imaginé dans ma cuisine, une serviette nouée autour de la taille. Dieu m'avait décidément trouvée bien gentille ce jour-là.

— Je te passerai une robe de chambre.

— Ha ! À fermera pas, ta robe de chambre, Lady…

Et pendant qu'il riait de ma proposition, j'ai pianoté un court cri de victoire.

DOUCHE CONFIRMÉE !
CRISE CARDIAQUE !

Le menuisier en lui a tout de suite vu que la construction était récente et faite avec goût, Adèle disait *full sharp* ; il hochait d'un air approbateur en passant sa main sur les comptoirs, le lambris des murs, les robinets. Chat de Poche faisait la guidoune, vrillait la queue en se frottant sur ses mollets. Je me suis retenue de dire « Oh ! le beau petit mimine à maman ! » pour ne pas qu'il aille s'imaginer que la solitude m'avait transformée en *crackpot* qui parle aux chats.

Dans la salle de bain, qui lui a arraché un sifflement admirateur, je lui ai tendu une serviette de bain, une débarbouillette et un savon tout neuf.

— T'es sûre que tu veux pas y aller avant ?

— Non non, t'es pressé, moi j'suis pas attendue avant trois heures et quart.

— OK, je fais vite.

Il a repoussé la porte sans la fermer complètement, et je suis restée pétrifiée devant le seuil de marbre, laissant couler mes regards dans les veines de la pierre en me demandant si l'ouverture qu'il avait laissée était une forme de métaphore à exploiter, de geste inconscient à saisir au vol ou une habitude toute simple sans arrière-pensée. Mais comme une douche dure trois minutes et demie et me limitait dans mes tentatives de psychanalyse à cinq cennes, j'y suis allée d'une intervention toute maternelle beaucoup plus dans mes cordes.

— As-tu une p'tite faim ?

— Merci, t'es fine, mais j'ai mangé y a pas longtemps.

J'ai repensé aux conseils de Charlotte, aux détails que je devais apprendre à lire. Impossible de laisser passer une perche presque tendue.

— T'avais ton lunch ?

— Oui.

La question était déjà si ridicule, aussi bien continuer. C'est plus facile d'être conne quand on n'a pas à soutenir le regard de son interlocuteur.

— Tu fais tes lunchs toi-même ?

— Euh… ça dépend des jours.

Mauvaise question, réponse pleine de trous : quelqu'un d'autre pouvait très bien lui préparer ses repas certains jours. Qui ? Quoi ? De la lasagne ? Un sanglier ? Avec des légumes ? Pas de légumes ? Les gars de la construction détestent les légumes, non ? J'ai le cerveau farci de préjugés, comme tout le monde. J'allais lui demander de quoi ça dépendait quand je suis tombée sur mon reflet dans le miroir du corridor. Sur moi et mon quasi demi-siècle inscrit partout, dans mes formes appesanties comme dans ma peau fripée, mes paupières fatiguées, mes joues qui venaient d'amorcer leur descente. La jeune fille nerveuse qui se demandait quoi faire de l'homme dans sa douche l'instant d'avant venait de déguerpir, le cul botté par la femme plate que Jacques avait laissée en lambeaux en levant les feutres par un beau jour de printemps. C'est à lui que je pensais, à l'homme infidèle, immanquablement, chaque fois que je me voyais trop. Par le filtre de ses yeux d'homme encore plein de désirs juvéniles, j'apparaissais affadie, décalée. Je malaxais alors mes chairs flasques pour forcer la multiplication des cratères de ma cellulite, faire ressortir ma peau d'orange, mon double menton, mes ça-suffit presque liquides. J'avais besoin de voir mes formes ingrates, de me faire souffrir, d'amener la douleur jusqu'à l'insupportable pour que mon naufrage m'apparaisse sensé, naturel, mérité ; Jacques n'avait pas regardé ailleurs pour rien. Je me pétrissais pour accentuer les pires défauts de mon corps et me prouver que j'étais la seule coupable de ma déchéance physique, que j'aurais dû, vieille folle qui avait cru que l'amour se suffisait à lui-même, courir, pédaler, pomper, soulever, forcer, suer…

— S'cuse, Diane…

Dans mes doigts fâchés, une tranche de gras abdominal ; de mon autre main, j'avais relevé un coin de ma tunique pour mieux voir. Quand j'ai tout laissé retomber, le tissu est demeuré en position, ignorant outrageusement la gravité. Au prix d'une humiliation inqualifiable, j'ai flatté mon vêtement sept ou huit fois avant que tout reprenne sa place. J'étais si accablée que j'ai mis du temps à réaliser qu'il ne portait que la serviette et ses tatouages. Je me suis concentrée sur ses yeux pour ne pas que mes regards fassent des embardées indiscrètes et ne me plongent, comme si c'était possible, dans un malaise encore plus grand.

— Euh…

La normalité aurait exigé qu'il feigne n'avoir rien vu et enchaîne avec une réplique qui nous aurait amenés à faire comme s'il ne m'avait pas attrapée en flagrant délit d'autodénigrement. Mais il est allé ailleurs, là où je ne l'attendais pas.

— Je dis ça de même, c'est pas de mes affaires, mais moi… t'es belle, Diane.

Tout mon sang a rappliqué d'un coup dans ma tête. Une fabuleuse décharge. Il a levé la main comme pour dire c'est bon, j'y vais, je n'ai rien dit, en filant vers la salle de bain, mais il s'est aussitôt ravisé.

— Sais-tu, je pense que je vais accepter la petite brassée, finalement, j'ai pas le courage de remettre ce linge-là.

— OK.

— J'en profiterais pour faire mes téléphones, j'ai un paquet de commandes à passer. Si ça te dérange pas.

— Ça me dérange pas, au contraire…

Ce qui pouvait être jugé inapproprié, étant donné que le contraire est « ça m'arrange », comme dans : « Au contraire, ça m'arrange que tu t'installes dans mon divan, à moitié nu, pendant que je prends ma douche. » Ça « m'arrange » parce que ça ouvre en moi mille espérances et que ça désengourdit certaines parties de mon corps tenaillées par d'inavouables chatouillements.

— Donne-moi ton linge.

— Non non, quand même, je vais le faire, montre-moi juste ta laveuse.

— Ben non, donne, j'en ai déjà vu, du linge sale. 'Est compliquée, ma laveuse.

Archi-faux. Je pensais surtout à mes petites culottes pas si petites suspendues dans la salle de lavage sur le cintre circulaire rose bonbon acheté chez Canadian Tire quelque vingt ans auparavant et dont je ne parvenais pas à me défaire. Peu importe la tangente que prendrait notre histoire, qu'elle s'en tienne aux limites d'une amitié beige ou qu'elle verse dans les flammes d'une passion dévorante, mes bobettes ne pouvaient pas y entrer sous forme de mobile. Il a pointé l'un des tabourets du comptoir-lunch.

— Tu permets ?

— Oui, oui oui… mais tu serais pas plus confortable sur le divan ?

— La serviette est un peu humide, je veux pas mouiller tes coussins.

— Attends, je t'en donne une sèche. Deux, même.

Dans la salle de bain, je me suis jeté un œil dans le miroir encadré de vapeur, j'ai pensé « t'es belle, Diane, t'es belle, Diane », et suis ressortie aussitôt.

— Tiens, celle-là est plus grande, en plus, tu seras mieux. Mets l'autre en dessous. Installe-toi.

Il est allé faire l'échange dans la salle de bain. Bon, tant pis.

En lançant ses vêtements dans la laveuse, sans les déplier ni en vider les poches – je ne tenais pas à tuer la beauté du moment à cause d'un vieux Kleenex –, j'ai entraperçu la bande élastique d'un caleçon sans marque. Jacques n'aurait jamais porté des caleçons non griffés, trop versé dans le *name dropping* hérité de sa mère qui commandait jusqu'à ses choix de dessous. J'ai regardé un moment la bouteille d'assouplisseur à la vanille avant de laisser tomber : je pouvais foutre le bordel dans sa vie avec quelques gouttes de fausse odeur. Et pour l'instant, il n'était coupable de rien, sinon de ne pas avoir pu supporter la vieille pisse de chat.

— C'est mon tour, je saute dans la douche. Sers-toi si tu veux quelque chose au frigo.

— Je te prends juste un verre d'eau.

— Au-dessus de l'évier !

J'ai attrapé mon téléphone et suis allée m'enfermer dans la salle de bain. J'ai allumé le ventilateur, ouvert à fond le robinet et fait encore l'ado.

— Je sais pas quoi faire ! Je sais toujours pas plus si y est célibataire.

— Franchement ! Y vient chez vous prendre une douche, y te dit que t'es belle pis y se met à poil dans ton salon, je sais pas quel genre de dessin ça te prend…

— Y a une serviette, quand même.

— Crisse, une serviette, une feuille de chou tant qu'à faire ! Pis tu penses qu'y a une petite femme à 'maison qui l'attend ?

— Ça s'est déjà vu.

— Y a pas l'air d'un gars de même.

— On le sait pas.

— MAIS DEMANDES-Y, CALVAIRE ! Tu vas pas passer à côté de la chance de ta vie juste parce que tu veux pas y demander !

— Mais je peux pas y demander là, justement, y est en serviette, j'aurais l'air d'y dire de sauter dans mon lit.

— Vous pouvez faire ça sur le divan.

— J'suis même pas rasée !

— Grouille, rase-toi au lieu de me parler !

— J'suis trop nerveuse, je vais me couper, pis si y voit que je saigne, y va se dire que je viens juste de me raser pis je vais avoir l'air de la fille qui en fait trop pis qu'y veut trop.

— Reste poilue, d'abord.

— Je t'appelais pas pour te parler de mon poil, je voulais juste que tu m'aides à choisir : j'amène mes vêtements dans la salle de bain pour me rhabiller ici ou je sors juste en serviette pis je m'habille dans ma chambre ?

— Mais là, y te pense dans 'douche depuis dix minutes, y va tellement te trouver bizarre si tu ressors encore habillée pour aller chercher ton linge !

— OK ! Je sors en serviette pis je m'habille dans ma chambre. Je me rase pis je sors en serviette.

— Tu parles-tu juste des jambes ou de toute ?

— Penses-tu que j'suis trop vieille pour le laser ?

— OK, *stay focused*, Diane.

— Mais ça se peut qu'y me voie même pas en serviette vu qu'y est dans le salon pis que ma chambre est de l'autre bord.

— Fais du bruit en sortant, échappe quèque chose.

— Oh ! Je fais une brassée ! Je vais aller m'en occuper.

— *Good* ! Vas-y en serviette.

— Ça fera pas un peu agace ? Je sors en serviette, je m'en vais voir mon lavage…

— HÉ HÉ ! LE GARS EST À POIL DANS TON SALON, Y S'ATTEND PAS À CE QUE TU Y FASSES DES MUFFINS, GO !

Elle m'a raccroché au nez. Je me suis approchée de la porte, l'ai ouverte : je ne voyais que son derrière de tête immobile, il devait être en train de texter. J'ai tendu l'oreille : brassée terminée. Retour devant le miroir : « T'es capable, Diane, t'es capable, go ! » Dans la douche, rasage rapide des aisselles, des mollets, du… non, trop délicat, tant pis, ding ding, texto de Claudine : capture d'écran d'un vieil article de *La Presse* intitulé « Gare au sexe sans poil », épongeage des petites coupures, enfilement de la serviette autour du buste, respiration profonde, placement de mèches, main sur la poignée, re-respiration profonde, entrée sur scène, direction salle de lavage, nouvelle tentative de réplique marquante.

— Y a juste trois morceaux, le séchage va prendre un petit quinze.

Réplique de ménagère, peut-être, mais ça me mettait en mouvement et me permettait de gérer l'invraisemblance de la situation.

— Hum… merci, t'es fine.

— Oh ! Tu dormais ?

— S'cuse, je m'étais un peu assoupi.

— S'cuse-toi pas, t'as l'air mort, j'aurais dû te laisser dormir.

— Ben non, va falloir que j'y retourne bientôt.

— Un petit quinze pour le séchage, ça va ?

— Parfait.

En mettant les vêtements dans la sécheuse, j'ai aperçu un des coins du vingt dollars de Madeleine qui sortait d'une poche. Je suis revenue vers lui en essayant de faire abstraction de mon accoutrement indécent.

— Regarde, même notre vingt piasses va être propre. Je le mets au soleil pour qu'y sèche.

Son verre d'eau vide à la main, il est venu vers moi pendant que je mettais un soin risible à étendre le billet en passant et repassant les doigts sur la face de mémé de la reine éternelle. Quand son bras s'est collé au mien, un choc électrique m'a piqué la chair.

— S'cuse !

— Non ! C'est moi, je me traîne trop les pieds.

J'ai essayé d'avaler, mais je n'avais plus aucune molécule de salive à déglutir. Il a posé son énorme paluche calleuse sur mon bras, lentement, pour bien me laisser la voir venir.

— J'ai une idée.

— Ah oui ?

— On devrait se payer un verre avec tout ce beau *cash*-là.

J'aurais eu besoin que Claudine me dise si c'était une *date*. On avait l'air de deux enfants tombés sur un paquet de gommes encore dans l'emballage.

— Quand ?

— Tantôt ?

— Je finis à dix-huit heures, c'est tard pour toi.

— Je finirai pas de bonne heure comme c'est là, moi non plus.

— C'est ma faute.

— Pantoute.

— T'es pas attendu chez vous… ?

Toc toc toc. La face d'Adèle étampée dans la fenêtre de ma cuisine. Je m'attendais à ce qu'elle détourne le regard, fonde de malaise et se replie immédiatement à l'étage inférieur ; elle a plutôt choisi d'ouvrir la porte et d'entrer sans hésiter dans la cuisine.

— Rosanne veut pas aller à son rendez-vous chez le médecin !

— Bonjour Adèle.

— Faut que tu viennes y dire qu'est obligée d'y aller, ça prend une radio pour voir si ça guérit comme y faut.

— Tu cognes pas avant de rentrer chez les gens ?

— Ben là, je t'ai vue par la fenêtre.

— As-tu remarqué que j'suis pas toute seule ?

— Salut. Moi, c'est Adèle.

— Guy.

Rien à faire, elle ne voyait pas le problème. S'il y avait une chose que nous étions en droit d'attendre de sa consommation effrénée d'Internet et de séries télé de toutes sortes, c'était qu'elle lui permette de comprendre et d'interpréter certaines situations de la vie sans les avoir vécues, qu'elle puisse, par exemple, déduire qu'elle ne peut pas s'immiscer entre deux adultes en serviettes de bain qui se parlent à quelques pouces du visage dans une cuisine au beau milieu de l'après-midi. J'ai formé une ligne droite avec ma bouche.

— Retourne avec Rosanne, je descends.

— Viens vite parce qu'on va être en retard. Le transport adapté va arriver dans deux minutes. On est sur le balcon en avant.

— T'as pas de l'école, toi ?

— Je *loafe* pour m'occuper de ma grand-mère.

— Laufe ?

— Oui, comme dans *skipping school*, manquer l'école, si tu comprends pas.

Face d'exaspérée, attitude de marde, baveuse comme une omelette crue. J'ai serré les poings. Elle est repartie au pas de course pendant que Guy s'éloignait pour étouffer son rire.

— Ris pas !

— Beau petit cours de traduction.

— T'as des enfants, toi ?

— Une grande fille, trente ans. Mais je connais la *game*, j'suis passé par là.

— Tu la vois souvent ?

— Non, elle est à Toronto.

— Ah.

— Histoire compliquée.

Je me suis rhabillée en vitesse, dans ma chambre, en prenant soin d'enfiler de beaux dessous en prévision de la soirée, au cas où le vingt piasses servirait. Ce qui avait échoué là, avec l'arrivée intempestive d'une ado à la politesse encore verte, réussirait peut-être plus tard, si les astres parvenaient à s'aligner.

Rosanne boudait dans sa chaise roulante, emmitouflée dans une grosse couverture. On aurait pu croire qu'on venait de l'évacuer d'un immeuble en feu.

— C'est important, Rosanne, faut voir si ça guérit bien.

— Y a rien à faire d'autre qu'attendre, qu'y ont dit, je sais pas ce qu'une photo de plus va changer.

— Y veulent voir si ça se soude comme ils l'espèrent, si y a pas autre chose aussi.

— Comme quoi ?

— Je sais pas, autre chose.

— Y veulent juste mon argent.

— C'est gratuit, Rosanne.

— C'est jamais gratuit, pauvre enfant.

— Si ça guérit tout croche, ça va coûter plus cher après, peu importe qui paie.

— Je vais être morte, après.

— J'ai l'impression qu'y vous en reste un sacré bout.

— Fais-moi pas des peurs, toé.

— Faut y aller, le transport est arrivé.

Le chauffeur venait de s'allumer une cigarette en nous faisant signe de prendre notre temps. Le bout retroussé de sa petite moustache à la Dalí était caramélisé par le passage répété de la fumée. La peau de ses doigts devait être dans des teintes assorties.

— Pis y me prennent pour une débile, y me parlent comme si j'avais trois ans.

— C'est juste parce qu'y parlent fort, pour être sûrs d'être entendus, ça donne cette impression-là. SI JE VOUS PARLAIS COMME ÇA, ROSANNE, VOUS AURIEZ PEUT-ÊTRE L'IMPRESSION QUE JE VOUS PRENDS POUR UNE DÉBILE, MAIS JE VOUDRAIS PEUT-ÊTRE JUSTE M'ASSURER QUE VOUS M'ENTENDEZ BIEN.

— C'est vrai que les vieux sont durs de la feuille.

— C'est pour ça que les oreilles continuent de grandir, d'ailleurs.

— Ah oui ?

— Ça sert de cornet, apparemment.

— Mon Dieu ! Vous m'avez appelé un infirmier personnel…

J'ai suivi du regard ce que ses yeux venaient de voir apparaître derrière moi ; les pans de murs ne se meuvent jamais très discrètement. Adèle s'est crue en devoir de faire les présentations avec une petite moue pleine de défi.

— C'est pas un infirmier, grand-maman, c'est son *chum*, Guy.

— Ah !

— Mais non, Adèle, voyons !

— Ah ouin ? Tu prends ta douche avec tes amis astheure ?

Hypnotisée, Rosanne n'a pas relevé. Si j'avais été une pieuvre, l'un de mes tentacules aurait parcouru l'espace en une fraction de seconde pour : a) fouetter Adèle en plein front ; b) l'étouffer par strangulation ; c) lui faucher les jambes pour qu'elle se pète le coccyx pour de bon ; d) l'attraper par la taille et la balancer de l'autre côté de la rue, dans le minuscule bassin d'eau croupissante que madame Dorion essayait de faire passer pour la fontaine de Trevi ; e) toutes ces réponses. Et puisque Guy portait ses vêtements, forcément encore humides, il avait vraisemblablement vu mon mobile de bobettes. Mes tentacules mentaux ont redoublé d'ardeur.

Dans le temps que je retrouve mes esprits, Guy portait Rosanne pour lui épargner d'avoir à descendre les marches en s'appuyant sur sa botte. De son côté, la charmante enfant, qui avait peut-être senti le mordant de mes griffes sur le vernis de son impertinence, s'était empressée de descendre la chaise roulante. Se faire oublier, excellente idée. Rosanne s'était laissé transporter dans la camionnette en ronronnant. Guy est reparti pour l'école, après avoir posé ses lèvres sur ma main.

— À tantôt, Lady.

Le saccage de notre scène d'amour par Adèle ne changeait rien à l'euphorie qui m'habitait depuis la proposition du verre. J'ai remonté les marches deux par deux et suis allée faire des salamalecs au vingt piasses mouillé qui séchait sur le bord de la fenêtre. J'étais beaucoup trop heureuse pour une seule personne.

— Tu le croiras pas.

— T'as enfin baisé !

— Y m'a invitée à prendre un verre !

— Après avoir baisé ?

— On a pas baisé.

— POURQUOI ?

Ne pas dénoncer Adèle. Je voulais que sa mort demeure un fait passager de mon imagination.

— Parce que.

— J'espère qu'y a pas le mot « poils » dans la vraie réponse que tu vas me donner.

— Le chantier, pas le choix. Mais c'est pas fini, y m'a invitée à prendre un verre !

— Donc y est célibataire !

— J'imagine.

— Sinon y t'aurait pas invitée !

— Y a une fille de trente ans.

— Bon, ça nous donne au moins une idée de son âge.

— Pis ça nous dit qu'y a probablement déjà été marié.

— Non, ça dit juste qu'y a baisé au moins une fois dans sa vie.

— Gnagnagna…

— Bon, *good* ! C'est pour quand le verre ?

— Tantôt.

— Sérieux ?
— Le vingt piasses sera pas sec.
— Quel vingt piasses ?
— Longue histoire.
— Tu fais quoi, là ?
— Je me rase.

■

Les grandes joies agissent sur l'humeur comme un chandail rouge neuf dans une brassée de blanc : elles colorent tout en rose. Quand Kathleen est passée à côté de moi en me disant qu'elle avait mis au parfum la direction au sujet du ballon potentiellement dangereux que nous gardions dans notre classe, je lui ai proposé, en souriant, d'appeler la SPCA. Les hostilités n'iraient pas plus loin ce jour-là puisqu'il s'était mis à pleuvoir des cordes.

À Devan, qui m'a envoyée promener quand je lui ai offert de faire un casse-tête pour se calmer – il essayait d'éventrer le *bean bag* avec une épée en Lego de son invention, on est génial ou on ne l'est pas –, j'ai seulement répondu : « Viens me chercher quand y va être pété, OK ? » Il a regardé son épée, cherché des yeux quelqu'un d'autre qui pourrait le chicaner avant de laisser tomber son arme et d'aller se planter la tête dans une rangée de livres du coin lecture. J'ai dit « merci » à Éléonore quand elle m'a parlé de mes rides – « C'est quoi les lignes, là ? » –, compté les cartes avec Julia une dizaine de fois – il y en a seize, confirmation absolue – et fait semblant de parler avec Pavel en faisant des répliques un peu débiles.

— Qu'est-ce que tu dessines, Pavel? Ah! c'est une maison en feu...

— (Non non non de la tête.)

— Avec des fleurs...

— (Nooooon!)

— ... avec des scrichoubines...

— (Oui! émerveillé avec les yeux.)

— Pis ça, c'est une vache.

— (Nooon.)

— S'cuse moi, une permifflette.

— (Oui!)

— Qui mange du crastillon bien dégorgé.

— (Oui!)

— Dans un troupitoufla pitouk floringien.

— (Ouiii!)

Voilà pourquoi il ne parlait pas: les mots avaient des sonorités trop mornes pour pouvoir franchir ses lèvres, ils s'épuisaient d'ennui en essayant d'escalader ses cordes vocales. Mon diagnostic de psy amateure: carence de fantaisie.

Et quand j'ai réussi à me libérer cinq minutes pour aller aux toilettes, j'ai crié à pleins poumons « J'ai finiiii! » après mon petit pipi en me foutant éperdument qu'on m'entende jusqu'en Australie. Je riais tellement quand Linda est entrée voir ce qui se passait, qu'elle ne m'a pas crue quand je lui ai dit que je n'avais rien fumé.

C'est chargée à bloc de cette énergie fiévreuse que j'ai répondu au téléphone, même si le nom affiché ne me disait rien.

— Bonjour bonjour!

— Oui, bonjour… est-ce que je parle à Diane Delaunais ?

— Oui ! Moi-même !

— Bonjour. Je suis présentement avec monsieur Valois…

— Jacques Valois ?

Il n'avait pas dit « je suis présentement avec le cadavre de Jacques Valois », donc interdiction de paniquer.

— Oui. Monsieur Valois a eu un accident.

Tombée du rideau, les volutes colorées de mon arc-en-ciel intérieur se sont dissipées d'un coup.

— Un accident ?

— Oui, de vélo.

— De vélo ?

— Oui, une collision assez violente.

— Avec une auto ?

— Non, en fait, avec euh… une machinerie agricole.

— Un tracteur ?

— Hum… si on veut, oui.

— Mais où ça ?

— Dans Portneuf.

— Mais qu'est-ce qu'y faisait à Portneuf ?

— Du vélo.

— Mais y fait ça depuis quand, du vélo ? Y a jamais fait de vélo !

Linda s'est approchée, les deux mains sur le cœur, catastrophée. Sur ses lèvres, j'ai lu « Tes enfants ? ». J'ai fait « non » de la tête, en fermant les yeux, mon Dieu non, heureusement, pas mes enfants. Elle a fait tourbillonner sa main dans le vide pour me faire comprendre qu'elle prenait ma classe en charge. « Prends ton temps », sur ses lèvres.

— Madame, écoutez, je me suis arrêté sur le bord de la route quand j'ai vu l'accident, je suivais pas loin derrière, j'ai appelé les secours pis votre mari…

— Ex. Mon ex-mari.

— Oh ! Désolé.

— Qui vous a demandé de me contacter ?

— C'est lui, y m'a donné votre nom et votre numéro.

— Mais y a une femme, monsieur Jacques, une femme toute neuve à part ça. On est divorcés.

— Écoutez, j'essaie juste d'aider, les ambulanciers voulaient qu'on rejoigne quelqu'un de la famille, famille ou ex-famille, j'imagine que c'est pareil…

— Donc y est en état de parler ?

— Oui, un peu, quand y est revenu à lui…

— Y a perdu connaissance ?

— Oui, y est tombé directement sur la tête, son casque a fendu, pas de casque y était mort, l'ambulancière est formelle.

— Mon Dieu…

— Y a mis une main à terre en atterrissant, ç'a sûrement aidé à diminuer le choc, mais son poignet plie pus dans le bon sens, y devait arriver vite.

— Y peut marcher ?

— Euh… pas pour l'instant, y l'ont immobilisé dans un carcan, de la tête aux pieds, on lui a demandé de pas bouger pour pas provoquer autre chose, apparemment que ça arrive des fois, même après coup.

— Quel hôpital ?

Tout le long de l'éternel trajet qui m'amenait là-bas, j'ai eu le temps de me convaincre, par mille raisonnements tordus, que tous les malheurs que je lui avais souhaités depuis sa défection maritale s'étaient matérialisés en une masse compacte placée sur sa route sous la forme d'un tracteur. Pour me flageller, comme j'ai coutume de le faire quand je me sens coupable, je me suis fait un petit chapelet de promesses d'ivrognes.

— Si Jacques s'en sort sans être légume, je me mets à la course, je mange pus de beurre, je vais être fine fine fine avec Nunuche. Si Jacques retrouve une vie à peu près normale, je…

Et j'ai laissé tomber Guy.

9

Où je prends soin des pieds de mon gnochon d'ex-mari.

Tous les hôpitaux se ressemblent : les mêmes murs beiges lézardés, les mêmes panneaux surchargés d'informations que des feuilles de papier huit et demi par onze collées çà et là avec de la gommette viennent compléter, les mêmes pauvres hères qui déambulent flanqués de leur tige à soluté, l'air pressé du personnel médical aux costumes colorés ou aux stéthoscopes-sarraus, les mêmes appels codés crachés par des interphones moyenâgeux, les mêmes familles éplorées aux bras chargés de fleurs et de toutous, les mêmes chaises raides qui invitent à décamper, les mêmes bénévoles d'un âge vénérable qui se font une joie de vous pointer les bons couloirs et ascenseurs, les même secrétaires exaspérées de répéter que non, elles ne peuvent pas nous donner une idée du temps d'attente.

— Je cherche quelqu'un qui vient d'être transporté en ambulance.

— Allez aux urgences, madame.

— On m'a dit qu'y était rendu ici.

— Nom.

— Oui, c'est votre collègue du secrétariat de l'urgence…

— Son nom.

— Ah, euh… Jacques Valois.

— Jacque… avec un « s » ?

— Oui.

— C'est bizarre, ça, les noms avec un « s », comme si y en avait plusieurs. Je mettrais pas un « s » à Lise, des plans pour que le monde dise Lisèsse… Les Espagnols diraient ça, en tout cas, y les prononcent, eux autres, ces lettres-là… Bon, attendez, Jacques Valois… y sort de radio, porte 8, mais y auront pas le choix de le *parker* aux soins intensifs, on est complets, *no vacancy*.

Elle l'a dit sans rire, la blague était si vieille, si éculée, qu'elle avait même oublié que c'en était une.

Ce sont d'abord ses mollets striés de grosses veines bleues que j'ai vus dans l'entrebâillement du rideau. La pâleur de sa peau révélait des marques discrètes qui s'affirmeraient bientôt pour ce qu'elles étaient : des taches brunes de vieux. Au bout de son bras entubé, sa main dévitalisée reposait sur le drap. Sa belle tête grisonnante figée dans un étau de plastique était recouverte de bandages. J'ai pensé « c'est fini », cet homme que j'ai aimé, soigné, pleuré n'aimera plus jamais avec son corps, ni moi, ni l'Autre, ni personne. Réduit à l'impuissance dans une petite jaquette bleue mal nouée, il attendait que la science tranche et lui lise sa condamnation. Ce qui de ma haine avait survécu durant le trajet qui m'amenait jusqu'à lui finissait de s'envoler. Poussée par le ressac de nos vieilles amours qui commençait à me remuer, je suis allée m'échouer doucement sur la barrière de son lit.

— Hé !

— Diane…

— C'est tout ce que t'as trouvé pour me forcer à te voir ?

— Je suis content que tu sois venue.

Sa main gauche et son avant-bras étaient bandés et maintenus dans une attelle. Le peu de chair qui demeurait visible semblait gonflée, tuméfiée. J'ai ressenti une chaleur liquide au creux de l'estomac et un petit mou dans les jambes.

— Qu'est-ce qu'on t'a dit jusqu'ici ?

— Pas grand-chose, c'est pas clair.

— Ta main bouge ! C'est bon !

— Celle-là, oui, l'autre est gelée. Y m'ont piqué avant de replacer mon poignet dans le bon angle. J'ai pas regardé.

— Tes pieds ?

— Je les sens, je peux même les bouger, regarde.

— Ton dos ?

— Y viennent de me dire que tout est beau pour ça. Y reste le cou.

J'ai perdu une bonne centaine de livres d'un coup. Il n'y a que dans la tête que se produisent les soudaines grandes pertes de poids.

— Depuis quand tu fais du vélo ?

— Depuis que je me suis acheté un vélo.

— Pis les cuissards, le chandail moulant qui *fite*, les 'tits souliers, toute la patente ?

— Oui madame.

— Je te demanderai pas combien ça a coûté.

— Je voulais me remettre en forme.

— T'aurais pu juste courir dans 'rue, comme tout le monde, ça prend juste des espadrilles, pis y a pas de tracteur.

— Y m'ont enlevé mes bas, j'haïs ça, pas avoir de bas.

— Je peux aller chercher une autre couverture.

— Tu serais fine. J'aimerais mieux des bas, mais bon.

— J'en ai pas, des bas.

— Y veulent pas m'enlever ce maudit collier-là. Pis j'ai pas le droit de me lever.

— Tu fais quoi pour les toilettes ?

— J'appelle l'infirmier. Ça te coupe une envie sur un moyen temps.

« Et si c'était une infirmière ? », que j'ai pensé. Maintenant que j'apprenais que ses extrémités étaient toujours aussi bien innervées – les non osseuses aussi, je n'en doutais pas –, la réalité reprenait sa place, les pions, leurs rôles. La peine et la pitié qui m'avaient plus tôt fait oublier mon statut de déchue s'étiolaient dans les effluves acidulés des images de baises torrides de mon ex et de sa greluche qui m'avaient longtemps hantée et qui revenaient à vive allure.

— 'Est où, Charlène ?

— Ah, Charlène… c'est un peu compliqué de ce temps-là avec Charlène.

Voilà pourquoi j'avais été appelée, moi, la femme plate usagée. J'ai pensé que tourner le fer dans la plaie me ferait du bien.

— Compliqué ?

— L'accouchement a été difficile pour Charlène, très difficile, physiquement, mentalement, y a rien qui s'est passé comme prévu…

Ce qui devrait, à mon sens, être la seule et unique chose enseignée dans les cours de préparation à l'accouchement: rien ne se passe jamais comme prévu, ou si peu de choses que «rien» demeure toujours au plus près de la vérité. Vous apprendrez à souffler comme un petit chien, l'infirmière vous demandera de faire le serpent; vous aurez appris à pousser naturellement avec les contractions, on vous demandera de vous retenir le temps qu'un médecin se libère; vous voudrez accoucher dans l'eau, il n'y aura pas de bassin disponible, pas d'anesthésiste non plus, pas tout de suite, peut-être plus tard, peut-être jamais; vous n'arriverez pas à vous mettre à quatre pattes ni à chanter comme vous aviez fantasmé de le faire; l'atmosphère n'aura rien à voir avec ce que vous aurez imaginé, vous aurez des mots durs à l'endroit des non-souffrants autour de vous, et vous hurlerez, défèquerez, déchirerez, essayerez de tuer celui ou celle qui vous accompagnera entre deux contractions comme dans tous les cauchemars que vous n'aurez pas osé faire, parce qu'on vous aura bourré le crâne de scènes *cutes* en lesquelles vous aurez eu besoin de croire parce que l'illusion de contrôle est ce que les cours offrent de plus vrai et honnête. Elle fait office d'Ativan naturel pour gérer le stress pré-accouchement, et c'est tout à fait de bonne guerre.

Alors quand Jacques dit que rien ne s'est passé comme prévu «pour elle», j'entends que ça s'est bien passé pour moi, comme si les torrents de vergetures qui me strient le ventre et les cuisses comptaient désormais pour du beurre, que le désarroi de sa Chose en porcelaine était venu effacer l'immensité de celui que nous avons vécu ensemble, trois fois plutôt qu'une, et qui mériterait au moins de survivre dans sa mémoire comme sur mon corps. Voilà pourquoi je ne peux pas continuer de voir Jacques : mon cerveau vrille à la moindre allusion qui me déclasse. C'est infiniment malsain. J'y perds des tas de neurones que je préférerais brûler autrement, au vin blanc, par exemple.

— Pis y a pas une affaire pour sauver l'autre : le petit fait pas ses nuits, Charlène a fait… enfin, on pense… bon, je pense… un post-partum, c'est un très gros lâcher-prise pour elle, la maternité, dans tous les aspects de sa vie…

Je m'en contre-torchais fabuleusement des états d'âme de Chochotte qui venait de perdre son petit ventre ferme et la douceur mielleuse de ses nuits. Ça me plaisait, même, de la savoir sur le chemin du vieillissement prématuré. Je continuais de l'écouter seulement parce qu'il avait peut-être le cou cassé.

— C'est pas de sa faute, elle a pas ta force, Diane… T'avais même pas de famille, toi… t'étais forte…

— Mais plate…

— Non, Diane, arrête ça, c'est pas vrai.

Quand on ouvre un réfrigérateur de bières en pleine canicule, la petite brise froide qui nous lèche le cou fait le même effet.

— C'est ton mot.

— Diane…

Un film humide couvrait ses yeux. De deux choses l'une : l'émotion ou la fulgurance des néons. Je m'accrochais à l'animosité pour ne pas ramollir et m'effondrer.

— Je pense qu'avec le temps, j'ai fini par confondre des affaires.

— C'est l'âge, pépère.

— Peut-être…

— Tu t'ennuyais.

— La stabilité fait ça, j'imagine, l'équilibre, la constance…

— *Pfff.*

— Ça prend ça pour faire des enfants solides.

— C'est ce qu'on dit.

— C'est ce qu'on a fait, trois beaux enfants solides.

— Hum.

— En âge de se reproduire, je sais.

— (Faux sourire.)

— Quand l'ambulancière m'a demandé qui appeler, j'ai pas hésité une seconde.

— C'est l'habitude.

— Non, je pense pas.

— T'aurais quand même pas appelé ta mère…

— J'ai eu peur que tu viennes pas. C'est fou tout ce qui m'est passé par la tête…

Dans les premiers temps de sa fuite, j'aurais vendu mon âme pour entendre la moitié de ces mots. Là, dans cet hôpital décrépit, lancés par un homme au tapis qui m'avait désaimée comme je n'avais jamais cru pouvoir l'être un jour, ils n'arrivaient pas à cacher le paysage saccagé que l'ouragan avait laissé derrière lui.

— Je pense que je suis un vieux con.

— Tout à fait d'accord.

— Bonjour ! Docteure Morin. Vous êtes la conjointe de monsieur ?

Pas de main tendue, pas le temps et trop de microbes.

— Non.

— Je viens de regarder vos radios avec mon collègue, monsieur Valois…

Elle parlait UN PEU FORT, ça m'a fait sourire.

— Aimeriez-vous qu'on se parle en privé ?

— Non, c'est mon ex-femme, c'est bon. Est-ce qu'on pourrait m'enlever ce collier-là, c'est épouvantablement inconfortable ?

— Non, malheureusement, les nouvelles sont pas très bonnes.

— Ah…

— Les cervicales C4-C5-C6 de votre cou sont fracturées, on va devoir vous maintenir complètement immobilisé pour l'instant, peut-être pendant plusieurs semaines, voire des mois. Vous allez probablement vivre normalement après, mais c'est bien important dans le moment…

Pas de sujet amené, pas d'atermoiement, seulement les faits, secs comme des toasts pas beurrées. Du temps que les enfants étaient petits, j'avais distribué des centaines de « Tu vas te casser le cou ! », « Des plans pour se casser le cou ! » sans jamais croire que quelqu'un allait littéralement se briser le cou. C'est une forme de blessure vague qui demande habituellement des précisions, on peut d'ailleurs très bien dire qu'Untel s'est cassé le cou en parlant de sa cheville fracturée. L'urgentologue a pincé l'espèce de pagette qu'elle portait à la ceinture.

— Bon, j'ai une ambulance qui arrive. Je vous revois plus tard. L'infirmier va passer. Appelez au besoin.

Elle est repartie, sarrau au vent, accueillir ce qui restait peut-être d'un chauffeur de moto, ou d'un travailleur qu'une scie à ruban aurait remodelé. J'étais doublement sonnée. S'il n'avait pas parlé le premier, je ne sais pas si j'aurais trouvé la force de dire quelque chose.

— On a ce qu'on mérite, non ?

— Des semaines sans bouger, Jacques…

— Au moins, Charlène est en Martinique avec ses parents.

— Pis Terrence ?

— Avec eux. Et sa nounou.

— Mais tu vas faire comment, tout seul ?

— Je vais engager du personnel.

— Oh ! Une jeune infirmière…

Il n'a pas semblé goûter la blague. Plate, d'ailleurs.

— Voudrais-tu me donner le piton, je le trouve pus.

— Ça va pas ?

— Faut que je pisse, ma vessie va exploser.

J'ai prétexté avoir oublié mon cellulaire dans l'auto pour les laisser tranquilles ; Jacques m'a crue, évidemment, pas l'infirmier, qui m'a fait un clin d'œil discret.

Je me suis arrêtée devant la boutique de cadeaux où sévissait une grave épidémie de bonhommes sourire. Une femme branchée à une espèce de respirateur artificiel passait ses mains jaunes sur des cartes religieuses enluminées de fines paillettes d'or, pour mieux rappeler la pauvreté commandée par l'Église. Dans le miroir ovale installé tout près du présentoir de lunettes de lecture, je suis tombée sur ma face de poisson mort, barrée de grands cernes mauves qui pendaient sous mes yeux comme des lunes molles, presque crémeuses. Jacques m'attendait un peu plus loin avec son étrange confusion et son repentir de coupable avec lesquels je ne pouvais plus rien faire. Facile, d'ailleurs, de s'accuser quand tout est joué, que la guerre est finie, et qu'on fait le bilan des morts. Facile de me faire vaciller, moi, la femme plate abandonnée parmi les cadavres, avec mes lambeaux d'amour pendouillant qui cherchaient encore, malgré tout, à s'accrocher. C'est par pure lâcheté qu'il m'exposait ses doutes et ses troubles existentiels, maintenant qu'il n'y avait plus de retour possible. J'aurais dû retourner à sa chambre, l'envoyer promener et lui dire que je m'en allais me taper un mec fait comme une armoire à glace qui me baiserait dans toutes les positions parce que c'en était fini pour moi, de la *fucking* constance ; j'ai plutôt acheté des bas aux talons renforcés et suis retournée le bichonner aux soins intensifs. Comme une vraie conne.

Charlotte, à qui j'avais écrit un peu plus tôt, m'avait laissé un message : évidemment qu'elle viendrait chez Madeleine pour examiner les chats et évaluer leur état. Elle s'organiserait avec Dominic, son grand mou de sauveur d'animaux, pour qu'il vienne cueillir ceux qu'il faudrait déplacer ou relocaliser – comme dans « tuer ou donner ». J'ai eu envie de la rappeler tout de suite pour lui dire que son père venait de se casser le cou, mais j'aurais eu du mal à lui expliquer ce que je faisais là. Et c'était à Jacques de choisir quand et comment il voulait annoncer la nouvelle.

Claudine avait bombardé mon téléphone de textos : elle voulait savoir où j'allais prendre un verre, à quelle heure, comment je comptais m'habiller, alouette. Je n'ai pas pu m'empêcher de lui répondre.

Tu vas capoter, mais
c'est ça qui est ça : je

suis à l'hôpital avec mon
vieux con d'ex-mari qui
vient de se casser le cou.
Je blague pas. Pas de
Guy ce soir. Je t'explique
plus tard.

J'ai pesé sur «envoyer» et j'ai éteint. Dans ma main fermée sur mon téléphone cérébralement paralysé, j'ai cru sentir les hurlements électriques de mon amie.

■

— T'as trouvé des bas?

— Dans la boutique cadeaux. Y ont une section lingerie fine. Je t'ai aussi acheté une surprise.

— Ah?

J'ai tenu la balle anti-stress *smiley* comme une boule de 6/49.

— Oh!

— Pour ta bonne main. Tu vas pouvoir alterner entre la sonnette pis la balle.

— C'est gentil.

— Ça te fait mal?

— Le maudit collier va me rendre fou.

— Tu vas être obligé de le garder tout ce temps-là?

— Pas celui-là, y vont m'en mettre un autre, un peu plus coussiné apparemment.

— Ça va être long longtemps.

— Je vais leur demander une pilule pour pouvoir dormir deux mois sans me réveiller.

— Rebonjour vous deux !

La docteure venait de rappliquer avec son sarrau qui voltigeait comme une cape derrière elle.

— Monsieur Valois… j'ai des bonnes nouvelles !

— Mieux que les dernières ?

— Écoutez ça : je viens de voir le radiologiste…

— Hum hum.

— C'est pas des fractures, dans votre cou, c'est juste de l'arthrose. De l'arthrose sévère, mais juste de l'arthrose.

Elle a laissé ses mots faire leur chemin dans nos têtes, sans bouger, les deux mains sur les hanches, fière comme si elle venait d'inventer la roue. C'était la première fois que je voyais quelqu'un aussi content de s'être trompé.

— Mais comment ça ? Vous êtes sûre ? Pourtant, tantôt…

— Nos machines sont pas assez précises aux urgences. Y ont des petites merveilles en radio. Pis on est pas radiologistes non plus…

— Concrètement, qu'est-ce qui se passe, là ?

— On va venir vous enlever le collier pis vous faire une attelle temporaire pour votre poignet. On va aussi vérifier vos plaies, vous donner un rendez-vous en externe pour l'ortho. Ça va aller vite vu qu'on va probablement devoir opérer, vous serez suivi en ergo après, pis vous allez pouvoir rentrer dormir chez vous. C'est-ti pas à votre goût comme fin d'histoire ?

Elle avait un peu de sel de mer sur le bout des syllabes, un peu de Nouveau-Brunswick peut-être.

— Qu'est-ce qu'on fait pour l'arthrose ?

— Rien, tout le monde fait de l'arthrose. C'est une dégénérescence osseuse très fréquente, les os affectés diffèrent d'une personne à l'autre. Vous pouvez consulter en physio, la musculation peut compenser, ou en physiatrie, où on pourrait vous proposer des injections de cortisone pour vous soulager. Aviez-vous des douleurs au cou avant l'accident ?

— Non, pas vraiment. Des raideurs de temps en temps, comme tout le monde.

— Vous allez en avoir, des raideurs, à cause de l'accident. Mais je pense pas que ça va aller plus loin. On continue de porter le casque, ben important. Pis on arrête pas de rouler, c'est bon pour le cœur, pis on évite les machines, comme dirait ma grand-mère.

Elle lui a doucement serré le bras en sortant, une sorte de bonjour qu'elle devait avoir adopté à force de traiter des patients mal en point ou sans mains. Je venais de perdre encore quelques livres. La fréquentation des hôpitaux finirait par me rendre sculpturale.

Le gentil infirmier est arrivé comme s'il avait attendu tout ce temps-là derrière le rideau.

— Hé ! C'est la grande sortie ! Ça tombe bien, on a besoin du lit. On a deux maganés qui viennent d'arriver. Tombés en bas d'un troisième étage. Le garde-fou de la galerie a lâché. C'est ben pour dire, tu restes chez vous ben tranquille, tu prends une petite frette sur le balcon pis paf ! ça lâche, bête de même. Poumon perforé, bassin fracturé, y avait un muret de béton en bas. L'autre a juste un bras cassé pis des ecchymoses sur le côté de la tête, on dirait qu'y a plongé en pleine face, mais c'est toujours ben moins pire que le gars de l'autre jour…

Et pendant qu'il libérait Jacques en l'anesthésiant à coups d'histoires de corps disloqués et démembrés – comment se plaindre de l'inconfort d'un collier cervical devant le récit d'une jambe arrachée par une déchiqueteuse à métal ? –, je regardais la scène comme si j'étais au théâtre. Une fois debout, les bandages défaits – « c'est des plaies de surface, on va désinfecter pis laisser respirer » –, Jacques s'est déployé pour reprendre sa place d'homme du monde qui venait de s'offrir une deuxième vie, loin de moi et de ses premiers enfants qui avaient tous refusé d'être parrains ou marraine de leur nouveau frère – un peu pour me venger, je crois. Ils finiraient par l'aimer, la petite terreur, je le souhaitais même ardemment. Mais pour l'heure, tout le monde en était encore à panser ses plaies.

Exceptions faites de la petite jaquette bleue et de l'attelle au poignet, il était là, bien vivant et solide sur ses jambes, celui qui avait viré ma vie cul par-dessus tête dans un grand soubresaut d'hormones. Les doutes qui l'avaient assailli quelques heures plus tôt semblaient déjà s'être dissipés ; je les avais peut-être rêvés. Ma naïveté, abyssale, m'attristait. Fallait que je m'arrache de là au plus vite.

— Tu t'en vas ?

— Hum hum.

— Tu… je… tu pourrais me ramener ?

J'ai secoué la tête, non.

— J'ai pas de vêtements.

— Appelle ta sœur, son mari te passera du linge.

— Jacinthe ? Tu sais ben que je peux pas l'appeler pis dire le mot « hôpital » au téléphone, à va faire une syncope.

— Passe par la boutique cadeaux, y vendent des *kits* de jogging *smiley* en coton ouaté. Les taxis prennent les cartes de crédit.

— T'es sérieuse?

J'ai éclaté d'un rire pseudo-naturel, pour lui donner un faux espoir, faire semblant que je blaguais – comme dans les films de gangsters, où le tortionnaire annonce que la séance de torture est finie alors qu'il sort l'égoïne –, sauf que moi, tout en continuant de me bidonner, j'ai tourné les talons et me suis enfuie très sérieusement. Il resterait là probablement quelques minutes, une heure peut-être, ébahi, guettant mon retour, avant de comprendre que j'étais réellement partie. Sans m'arrêter, j'ai suivi les indications de « Sortie » officielles et les manuscrites pour atteindre la bonne porte. Dans l'une des aires d'attente croisées, un monsieur dormait, les poings coincés sous les aisselles, le menton planté dans son énorme pomme d'Adam. J'ai bifurqué vers lui pour aller me prendre les pieds dans ses jambes allongées qui encombraient le chemin.

— Ramassez vos jambes! C'est pas un dortoir!

Rien de personnel, j'avais besoin de décharger ma mauvaise humeur.

Dans mon auto, j'ai pleuré calmement, sans hoqueter, sans crier. Ma première larme a tracé un beau gros sillon que les autres ont suivi sans se presser. J'ai attendu qu'elles sèchent et déposent leur sel avant de les balayer du revers de la main. Avec un détachement que je ne me connaissais pas.

Une fois chez moi, j'ai aligné trois bibelots achetés exprès (un vase-serpent affreux, un lapin de Pâques qui ressemblait plutôt à un œuf et un truc abstrait qui donnait envie de vomir) sur une énorme planche à découper en bois et les ai réduits en bouillie à coups de masse. J'en découvrirais sans doute des morceaux sous les meubles pendant des mois, sans pouvoir dire auxquels de mes sacrifiés ils appartenaient. C'est la beauté de la laideur.

■

Je suis descendue rejoindre Claudine, qui m'attendait avec sa face de je-vais-essayer-de-ne-pas-poser-de-questions-mais.

— Y est trop tard pour appeler Guy, j'imagine.

— J'ai même pas son numéro.

— On a retrouvé le *Titanic*, ça devrait pouvoir s'arranger.

— Je connais pas son nom de famille.

— On va regarder sur Facebook, y a peut-être mis une photo.

— Y a sûrement cent mille Guy.

— Ben non, y a juste des vieux qui ont ce nom-là, y a pus personne qui appelle son enfant de même, *thank God.*

Elle m'a tendu un verre de blanc.

— Tiens, un petit borgne ligoté.

Ça nous a toujours amusées. La vie est compliquée, mais on a le bonheur simple, ça compense.

— Y pensaient que son cou était cassé.

— *Bungee?*

— Vélo.

— Jacques en vélo?

— Ben oui.

— Qu'est-ce que t'es allée faire là ?

— Me torturer.

— La belle affaire…

— Pis acheter des bas.

— Lui pis ses ostis de pieds…

— Mais y est juste vieux, finalement, c'est de l'arthrose sévère.

— Waaa ! Vieille croûte ! C'est pas du cou qu'y devrait faire de l'arthrose, tant qu'à moi.

— Ça prend un os pour faire de l'arthrose.

— Je sais, la vie est mal faite.

Et on a décidé, en mangeant un gros cassoulet dégoûtamment viandeux au bistrot, que l'important résidait dans l'avenir et que dans celui-ci existait un beau gars au nom affreux avec qui il devait être bon de passer ses soirées d'automne frisquettes.

— Pis la prochaine fois que tu cours au chevet de ton gnochon comme une imbécile finie, je te jure que je défonce le mur de ton ancienne maison, avec un bazooka si y faut, pis que je te ramène l'enveloppe qui contient tous ses petits secrets. Je t'attache sur une chaise pis je te lis ce qu'y a dedans ligne par ligne jusqu'à tant que tu saignes du nez.

Je n'avais jamais lu le moindre détail de l'enquête que j'avais commandée sur Jacques quand il m'avait quittée. Dans un moment de lucidité, j'avais foutu le rapport dans le trou que j'avais « accidentellement » pratiqué dans le mur du salon, pour être bien certaine de ne plus pouvoir le récupérer. Un menuisier était venu colmater la brèche et me retirer, de ce fait, la possibilité de Savoir.

Jacques avait gâché notre avenir, je ne pouvais courir le risque qu'il vienne salir notre passé.

— Pis demain c'est samedi, on va aller te magasiner des nouveaux sous-vêtements, ça te prend une nouvelle identité érotique.

— Nooon ! T'as encore lu des revues de bonnes femmes !

— Quand tu vas aller à ta *date* avec Guy…

— Si *date* il y a.

— … tu mettras pas tes grosses bobettes lettes.

— Non.

— Tu vas mettre ce que t'as de plus beau.

— Logique.

— Ce que t'as de plus beau, vu que tu t'es sûrement rien acheté depuis que ton trouduc est parti…

— Tu sais pas !

— … tu me l'aurais dit… c'est forcément ce que Jacques aimait le plus ?

— …

— Ben c'est ça, t'as tout compris.

J'avais en effet besoin d'une nouvelle identité, érotique ou autre. Les ciseaux soulagent parfois autant que la masse.

10

Où on se serre les coudes et les bretelles.

Je m'explique mal par quel type de magie noire la lumière crue qui sévit dans les magasins parvient à détruire si cruellement les illusions qui nous farcissent la tête, amalgames insensés d'images grassement nourries de maigreur maladive et de jeunesse inquiétante, tout aussi ridicules que sournoises.

— Montre !

— Non. J'ai l'air d'une espèce de boudin.

— Arrête ça, c'est super beau !

— Sur le mannequin en plastique qui a un petit cul de nymphette de dix ans, oui.

— Tu le dis, c'est une nymphette de dix ans ! Dans 'vraie vie, y a des bouts de fesses qui dépassent.

— J'ai carrément quatre fesses !

— Montre.

— Néo !

— C'est supposé faire comme un bandeau, cette culotte-là.

— Un bandeau dans le mou, ça ressemble plus à un *choker*.

— C'est juste trop petit.
— Non, ça marche pas.
— OK, je t'amène d'autres choses.
— Non, j'suis tannée.
— Essaie les brassières en attendant.

Pendouillaient, dans la cabine autour de moi, des brassières de toutes les couleurs qui me dardaient de leurs broderies fines. Elles seraient trop belles, ma peau trop blanche. Le gâteau qu'on fait à la maison ne ressemble jamais à celui de la couverture de la revue. J'ai enfilé la première en faisant un effort surhumain pour ne pas me croiser dans le kaléidoscope de miroirs desquels j'étais prisonnière. J'ai pris une grande respiration et levé les yeux : mes seins se fuyaient comme des amants fâchés. La promesse du beau clivage que la plantureuse poitrine de plastique en vitrine offrait en pâture à la naïveté des curieux n'adviendrait pas. Mes seins ne se transformeraient pas magiquement en duo d'appétissants rebondis censés perdre les hommes. J'ai réajusté les bretelles, joué avec les bourrures et laissé tomber ; mes seins ne seraient jamais des sirènes. Tant pis tant mieux, je ferais sans eux, comme je l'avais fait jusque-là sans trop mal m'en sortir.

— Montre.

J'ai ouvert la porte sans résister. Claudine a fait une moue, un pas vers l'arrière, incliné la tête de trente degrés. La commis s'est avancée en posant délicatement ses pieds sur la moquette industrielle élimée devant les miroirs.

— Attendez un peu, je vais raccourcir les bretelles… ah ! c'est déjà fait.

Elle a poussé sur le côté de mes seins pour les forcer à entrer dans les bonnets et voir ce qu'on pourrait gagner en agrafant plus serré. J'ai failli la mordre.

— Ces modèles-là vous feront pas bien, vous avez le sein large. Faut que l'armature au centre soit plus forte.

Le sein large. Le clou de ma semaine. La déprime a tout de même fini par me gagner, je suis sortie sans rien acheter, le caquet à terre. L'autre vendeuse de la boutique, celle qui faisait des pyramides de petites culottes sur le buffet de l'entrée pendant mon chemin de croix, est venue nous rejoindre sur le trottoir, au pas de course, les lunettes sur le bout du nez. J'ai tout de suite vérifié : sacoche, téléphone, clés, je n'avais rien oublié.

— Madame, madame ! S'cusez-moi… vous savez, y a des lignes de lingerie qui vous habilleraient à merveille, ailleurs… Sokoloff, par exemple, on en trouve chez Simons, très abordables.

— Des lignes pour les toutounes ?

— Non, des lignes pour les normales de tous les genres, madame.

Elle a souri en serrant les mâchoires avant de pivoter et de fuir vers sa boutique, comme une brise chaude.

— Okééé ! Je l'aime, elle ! Chez Simons, go !

— Non. J'suis tannée. Pas aujourd'hui.

— Tu vas mettre quoi, d'abord ?

— Ça arrivera juste pas, de toute façon.

— Hé ! T'avais une *date* officielle ! Si ton vieux sénile avait pas fait une crise existentielle après s'être tapé un tracteur, vous seriez encore au lit à cette heure-ci.

— C'est mieux de même, Chacha s'en vient tantôt, on va essayer d'aller voir Madeleine, faut régler ça.

— Ben oui, c'est beaucoup plus le *fun* de torcher une *crazy cat lady* que de baiser.

— J'ai même pas son numéro !

— Ben justement, j'ai une autre idée pour retrouver ton mec ! Super simple…

— NON ! Non merci ! J'ai encore le vertige à cause des photos Facebook que tu m'as fait regarder pendant des heures.

— T'es plate.

— J'suis au courant, merci.

— Je parle pas de ce plate-là.

— Y a pas cinquante façons d'être plate.

— Bon, enweille, je vais aller t'aider à faire ton bouilli.

— Tu devrais pas, c'est plate longtemps, faire du bouilli.

— Je t'aide si tu boudes pas.

— Je boude pas.

— Ça peut être super le *fun*, faire du bouilli, regarde ben ça.

— Pas de vin avant cinq heures.

— Rabat-joie.

— Toi-même.

— En tout cas, moi, si j'avais ta chance, je m'en achèterais, du Strogonoff, pis je sauterais dans son lit.

■

On s'est mis à l'épluchage des légumes-racines avec de la musique de bonne femme, comme l'a fait remarquer Adèle en passant venir nous dire qu'elle s'en allait chez une amie.

— Tu veux pas venir me reconduire ?

— Non, t'as ta passe de bus. Pis ça va plus vite qu'en char.

— Poche.

— Ben oui, c'est poche. Y a du monde cool, pis y en a des poches, qu'est-ce que tu veux ? J'suis poche, c'est de même. Pis mamie, à fait quoi ?

— À veut venir avec vous autres.

— Ben non, pas avec sa botte, dis-y qu'on va descendre à 'place. Attends Adèle, aide-nous à descendre du stock.

— Ah ouin ? C'est ça ? Toi, tu veux pas m'aider en venant me reconduire, mais moi, faut que je t'aide !

La moutarde a rarement voyagé aussi vite dans le nez de quelqu'un.

— QUOI ? Moi, je t'aide pas, moi ? Ben non, je fais jamais rien pour toi, je fais jamais de ménage pour toi, moi, je fais pas l'épicerie, pas de repas, je te torche pas, je t'amène pas chez le dentiste, le médecin, la coiffeuse, l'esthéticienne, je passe pas mon temps à ramasser tes affaires qui traînent partout, à te faire à manger, à te rappeler tout ce que t'oublies, à t'aider avec tes travaux, à gérer tes crisettes à l'école pour pas que tu te fasses mettre dehors, je me fais pas chier à longueur de journée dans un bureau de marde pour gagner assez d'argent pour te payer une maison, du chauffage, de l'Internet, des broches pis des ostis de jeans déchirés, ben non…

— Maman…

— … je t'aide pas, ben non, moi, je fais rien…

— Maman…

Adèle avait les mains posées sur les hanches, l'air amusé.

— Tu pognes tellement les nerfs vite.

— Mais regarde ce que tu me dis aussi !

— Je te niaisais.

— Je te crois pas.

— Dis-moi quoi descendre.

Pendant que mon amie essayait de se recomposer une contenance de mère calme, je suis allée déterrer, au fond de mon sac à main, un écusson brodé, spécialement fait pour être collé sur du tissu, que j'avais expressément acheté pour Adèle dans la boutique cadeaux de l'hôpital. On pouvait y lire, dans des belles lettres dorées d'un kitsch parfaitement consommé : « Dieu est amour. » Je me suis approchée de la pauvre ado exploitée et négligée, j'ai retiré la pellicule protectrice du côté collant du badge et l'ai discrètement plaqué sur la poche arrière de son sac à dos, en prétextant avoir besoin de passer par là pour attraper le sac de pommes de terre.

Elle a ajouté un « *fucking* ménopause » à peine audible qui n'a heureusement pas atteint le conduit auditif de Claudine. Comme je venais de gentiment nous venger, tout gentiment, je n'ai pas cru bon le répéter. J'ai seulement appuyé un peu plus fort sur l'écusson pour m'assurer que les fibres de tissu et la colle se marient durablement.

Quand Charlotte et son *chum* sont arrivés, j'ai laissé Claudine s'occuper du bouilli pour sauter dans le fourgon du refuge, encore plus odorant que dans mon dernier souvenir (savant mélange de chien mouillé, cadavre et poche de hockey). Mon gendre Dominic portait, comme de coutume, son air décontracté et des vêtements qui en disaient long sur son rejet des modes et de l'hygiène des gens ordinaires, les « agités du bocal fanatiques d'anti-germes ». Sans microscope, j'aurais pu affirmer, hors de tout doute possible, que les siens se portaient très bien. J'ai eu une pensée pour ma fille.

— Bon, m'man, on a pensé à un plan de match.

— J'écoute.

— Pour pouvoir examiner les chats tranquillement, sans faire paniquer personne, on a pensé que tu devrais t'asseoir avec la vieille madame pour jaser de la pluie pis du beau temps, juste pour l'occuper. Ce serait moins stressant pour tout le monde pis ça nous permettrait de mieux travailler.

— OK.

— Doum va s'occuper de jeter un œil aux chats, identifier les mâles, les femelles, les jeunes, les vieux, les malades…

— Qu'est-ce que vous allez faire avec les malades ?

Ils se sont regardés rapidement, Charlotte a mis sa main droite sur sa gauche en écartant les doigts, pour en faire une espèce de bouée en forme d'étoile, comme chaque fois qu'elle s'apprête à dire quelque chose de sérieux ou de difficile.

— Ça va dépendre.

— De quoi ?

— Y pourrait y en avoir des plus malades que d'autres. On va amener les mal en point au refuge pour voir ce qu'on peut faire.

— Mais y en a que vous allez devoir tuer ?

— Euthanasier, oui, ça se peut. On va essayer d'en mettre un max en adoption. Mais on se contera pas d'histoires, le monde aime pas les vieux chats.

— Les vieux tout court.

— Ben non, moi j'aime ça, les vieux, les vieilles mamans surtout…

Elle a collé sa joue de petite comique sur mon épaule. C'est le genre de blague qu'on subit avec résignation quand on est au seuil des nombres ronds, peu importe lesquels.

— Vous allez sauver les bébés ?

— Tout le monde aime ça, les petits bébés *cutes*. C'est ça le problème, ça reste pas *cute* longtemps. On les ramasse juste plus tard.

— Je sais, ma cocotte…

— Pendant que vous faites ça, Doum et toi, je m'occupe de la maman pis de ses petits, ça risque d'être le plus dur.

— Tu pourras jamais l'approcher.

— Ha !

Dominic m'a fait un clin d'œil.

— Ta fille peut approcher n'importe quel animal.

— Je sais.

■

Madeleine a mis cinq interminables minutes à venir ouvrir, ce qui m'a donné le temps de m'échafauder toutes sortes de scénarios catastrophes dans lesquels, peu importe la finale, il y avait un corps en putréfaction qui me retournait les tripes. Mais la porte a fini par s'ouvrir, et Madeleine est apparue dans l'encadrement, poupée fragile en papier de riz, dans les mêmes vêtements que la veille.

— Bonjour ! C'est moi, Diane, je suis venue pour la moquette, hier.

— Oh ! Doux Jésus ! Vous êtes revenue…

— Je suis avec ma fille, Charlotte.

— Oh ! La belle grande fille ! Mon Dieu !

— Bonjour, madame !

Ses yeux se sont remplis d'eau, inondés par les souvenirs et les douleurs enfouies qui refluaient de partout. L'ammoniac me faisait le même effet.

— Je vous en ai glissé un mot hier, c'est elle qui étudie pour devenir vétérinaire.

— Oh oui ! Le beau métier, soigner les animaux, tu vas bien gagner ton Ciel, toi…

— Lui, c'est Dominic.

— Salut, madame !

— C'est lui qui s'occupe d'emmener les animaux au refuge. Et le petit ami de Charlotte.

— Oh ! Vous êtes fiancés ?

— Non, ben non.

— C'est pour bientôt ?

— Euh… non, c'est pas prévu non plus.

— Vous attendez de bien vous connaître, c'est mieux. Dans mon temps, ces choses-là pressaient.

— Non, c'est juste qu'on pense pas se marier, les gens se marient pus vraiment aujourd'hui, c'est pus nécessaire, c'est du trouble pis ça coûte cher, pis c'est un peu ridicule en même temps, ces niaiseries-là….

Coup de coude pointu mais discret dans les côtes de mon non-gendre. Madeleine n'avait pas besoin qu'on lui rembrunisse l'esprit en lui expliquant que les institutions qu'elle avait connues et respectées étaient de la « marde ». Son imaginaire couvait peut-être encore l'idée que les enfants nés hors mariage étaient des bâtards, et que les liens sacrés étaient vraiment sacrés.

— Est-ce qu'on vous dérange, Madeleine ?

— Non non, je prenais une petite collation.

— Dominic et Charlotte ont du temps aujourd'hui pour examiner les chats, essayer de les compter…

— Oui, ce serait bien, de les compter, mais ça va être difficile, y vont, y viennent, y en a qui se ressemblent beaucoup aussi.

— Vous permettez qu'on entre jeter un œil ?

— Oui, entrez, gardez vos souliers, c'est mieux. On va partager ma collation, j'en ai toujours trop.

Au bout de la table, sur un napperon de plastique, reposait une conserve de mandarines et une cuillère de plastique dans une petite mare de jus luisante. Un duo de gros chats tigrés reluquait l'affaire à distance pendant qu'un autre matou, presque bleu à force d'être noir, faisait la patate sur le dossier du divan. On devinait qu'une partie de la faune s'était réfugiée sous les meubles et dans les encoignures sombres pour fuir notre arrivée.

— C'est gentil à vous, mais on vient juste de manger.

— Oui, on est complètement pleins, merci.

— Moi, je dis pas non.

Mon second coup de coude n'a pas démonté Doum, qui s'est dirigé vers la table d'un pas guilleret, comme le grand innocent qu'il peut être des fois. Quand Madeleine lui a offert d'aller lui chercher une cuillère propre, il en a profité pour faire l'étalage de son raffinement.

— Bah, j'aime mieux y aller avec les doigts.

Et sans attendre d'y être invité, il les a plongés dans la boîte, ses doigts de collecteur d'animaux galeux abandonnés, pour se les enfourner vulgairement dans la bouche. Il a ensuite léché le sirop qui suintait entre ses jointures avant de remettre ça, par deux fois. De toute beauté. Charlotte riait, semblait même le trouver mignon. Je n'ai jamais compris et ne comprendrai probablement jamais l'attirance de Charlotte pour ce gars-là, je m'y suis résignée depuis longtemps. Dominic est l'antithèse de Jacques, en toutes choses, c'est peut-être la seule explication plausible. Quand j'ai du mal à cacher mes réticences à son égard, je serre les dents en souriant. Alors j'ai serré. Mais Madeleine était si visiblement enchantée de pouvoir partager ses fruits « frais » avec quelqu'un que j'ai dû admettre que sa personnalité bon enfant et sa non-répugnance naturelle présentaient certains avantages.

Pendant que Charlotte et son prince charmant faisaient le tour de la maison pour tenter de faire une recension et un examen sommaire de la ménagerie, je me suis assise avec Madeleine à la table pour lui permettre de finir sa collation.

— Vous avez donc une belle enfant !

— Oui, merci. Je me demande des fois si c'est vraiment ma fille.

— Pourquoi ça ?

— C'est une femme tellement calme, tellement posée.

— Vous avez l'air calme, vous.

— Bah… non, pas tout le temps.

— C'est normal, ça, ma belle.

— Vous savez ce que je fais quand je perds mon calme ?

— Vous blasphémez.

— Je démolis des meubles pis des bibelots à coups de masse. En blasphémant.

J'ai vu pour la première fois le blanc de ses yeux grand ouverts. Sa petite main tremblante s'est portée à sa bouche.

— Vous démolissez des meubles ?

— Quand mon mari m'a quittée, au printemps de l'année dernière...

— Oh non !

— ... j'ai démoli le divan, le buffet de la belle-mère, un bout de mur pis j'ai même arraché les haut-parleurs encastrés. Je me suis mise aux bibelots après, sur les conseils de ma psy : ça coûte moins cher.

— Oh !

— Je devrais pas vous dire ça.

— Au contraire !

— Ça me calme, c'est comme ça.

— Ça doit faire du bien !

— Beaucoup.

— J'aimerais peut-être ça...

Charlotte est arrivée doucement et s'est agenouillée devant Madeleine, qui zyeutait l'ameublement autour d'elle. Je venais peut-être d'instiller en elle quelque chose que je regretterais. Un chat tout gris avec une grosse plaque blanche sur la gorge la suivait à la trace.

— Ben oui, mon gros mimine, tu veux des caresses, hein ?

— Oh oui, y est colleux, celui-là !

— Vous aviez combien de chats, au début, Madeleine?

— Ah, mon Dieu… quand je suis arrivée… deux.

— Ça fait combien de temps, ça?

— Ah, mon Dieu…

Elle a réfléchi en regardant le plafond.

— C'était l'année de mon mariage.

Comme dans « Depuis toujours ».

— Je les avais recueillis à la ferme de mes parents. Y seraient morts, autrement, la mère en voulait pas.

— Ah oui? Pourquoi?

— Trop petits. La nature choisit les forts, c'est comme ça. La mère garde son lait pour ceux qui ont le plus de chances de s'en sortir.

— Vous êtes arrivée à les nourrir?

— Oui, en imbibant le coin d'un torchon de lait chaud, pour faire une tétine.

— Ça marche?

— Oh oui, très bien. On a sauvé plein de chats comme ça.

— *Wow*! Pis vous aviez quel âge quand vous êtes arrivée ici?

— Dix-sept ans.

— *Shit*, même pas majeure!

Le galant venait de se pointer en se tapant le front.

— Oui, on a eu une dérogation du curé pour se marier plus vite.

— *Oh boy*! Ça pressait vrai!

J'ai fermé les yeux pour ne pas le voir se faire aller du bassin.

— Avoir su que je mourrais pas, j'aurais pris mon temps.

— Pis vous auriez fait quoi?

— Tellement de choses…

— Inquiétez-vous pas, vous allez mourir, on vous donnera un petit coup de main au besoin.

— Doum!

— Bon, vous en êtes où, Chacha?

— Ça avance.

— Vous faites comment pour les compter?

— On les marque.

— Avec quoi?

— On coupe juste une petite touffe de poils sur le dos. Le chat est pas dérangé pis ça repousse vite.

— J'ai oublié de vous dire! Allez pas dans la chambre du fond, Caramel est là avec ses petits.

— J'y suis déjà allée.

— Mon Dieu!

Charlotte a brandi une conserve de nourriture pour chats.

— Délices de la mer, c'est mon instrument magique. Ç'a pris du temps, mais la grosse rousse a fini par venir me voir.

— Oh!

Une fois derrière Madeleine, Charlotte m'a fait un sourire crispé qui disait «C'est pas beau à voir». Doum a ouvert et fermé les mains deux fois: au moins vingt chats, avant de pointer ses deux pouces vers le bas: ça n'allait pas. On s'en doutait, évidemment. Ils sont retournés à leur triste inventaire.

— Je pense qu'on va devoir… déplacer certains chats. Y en a beaucoup.

— Oh oui? Combien?

— On le sait pas encore.

— Je pense qu'y en a sept ou huit en tout.

— Peut-être un peu plus.

— Vous pensez?

— Oui, je pense que oui. Y va falloir fermer le carreau de la cuisine pour l'hiver.

— Mais les chats ont besoin de sortir.

— Vous pourriez en garder deux ou trois, les plus vieux, ceux qui ont pas besoin de sortir.

— Les autres vont aller où?

— Dans d'autres maisons.

— Ah oui? Y a des gens qui les prendraient?

— Oui, sûrement. Dominic peut les amener au refuge pis leur trouver une famille.

— Ce serait bien, ça! C'est bon pour les enfants, les animaux.

— C'est vrai.

Elle s'est avancée vers moi pour me dire, sur le ton de la confidence.

— Votre fille vous ressemble tellement.

— Vous trouvez?

— Oh oui… J'ai eu une fille moi aussi.

— Ah oui? Je pensais que vous aviez eu juste des garçons.

— Mon premier enfant, c'était une fille. Je l'ai bercée pendant neuf jours avant de la laisser partir.

— Non… désolée.

— En crevant mes eaux, avec la grande tige, le docteur a déchiré son dos, tout le long de la colonne vertébrale, la pauvre petite.

— Ben voyons donc…

— On avait le droit de rester neuf jours à l'hôpital dans ce temps-là. Après les neuf jours, y ont dit qu'elle pourrait pas vivre. Ils l'ont emportée. Je les revois encore faire la petite momie.

— Emportée où ?

— J'ai pas demandé. Là où y faut, j'imagine. Y ont dit : « C'est sans espoir, madame. Dieu la rappelle à Lui. » Pourquoi nous l'envoyer, la laisser souffrir comme ça, pis la rappeler tout de suite ? Ça fait mille ans que je retourne ça de tous les bords, pis je comprends toujours pas.

— C'est une faute médicale, y aurait fallu poursuivre !

— On mettait pas en tort les médecins à l'époque, ça se faisait pas. Pas pour les comme nous autres, en tout cas, on connaissait rien là-dedans. La petite était trop faible, qu'y ont dit.

— Madeleine, c'est épouvantable…

— Pis ça ramène pas les enfants, la haine.

— Non…

— J'ai pas eu d'autres filles. J'en ai pas voulu.

J'ai serré sa main en essayant de ne pas pleurer. Elle me regardait droit dans les yeux. Les siens étaient secs, prêts à redevenir poussière.

— Après ça, je me suis mise à sauver des chats, surtout les trop faibles. Pour me venger.

— C'est mieux qu'une masse.

Le couple de tigrés avait fini par s'installer sur la table, le plus malin étirait la patte jusqu'au jus, la trempait et se léchait ensuite le poil et les coussinets, comme un singe savant. L'autre ne comprenait pas, il attendait patiemment que le jus vienne à lui. Les chats sont aussi dissemblables que le sont les humains. Un petit rond de poil leur manquait au milieu du dos.

— Venez donc manger du bon bouilli à la maison à soir !

— Oh ! Du bouilli ! Avec du lard salé ?

— Y a-tu quelqu'un qui fait du bouilli pas de lard salé ?

— À la télévision, oui. J'ai vu ça l'autre jour.

— Ben moi, j'en mets plein. Mes enfants vont être là, mon amie Claudine, ses filles, sa mère, mais ça va être tout simple, à la bonne franquette.

— Oh ! C'est tellement gentil à vous... mais ça fait beaucoup de monde déjà.

— On en fait pour un régiment, inquiétez-vous pas.

— J'aime mieux vous laisser en famille. C'est des moments tellement précieux.

— Une autre fois peut-être ?

— Oui, une autre fois.

Charlotte et Dominic ont attrapé ce jour-là seulement deux chats, des cas désespérés. Doum reviendrait en début de semaine avec du renfort et des cages supplémentaires. Si c'était possible, on coordonnerait sa venue avec celle de Guy, pour que la fenêtre puisse être fermée la même journée, afin d'éviter que d'autres chats viennent remplacer les déportés. Madeleine était d'accord pour qu'on contacte les services sociaux. Elle commençait à se sentir dépassée, sa venue à l'école était une forme d'appel à l'aide.

— Ces deux-là vont vraiment pas bien, c'est pour ça qu'on les emmène aujourd'hui.

— Y vont pas bien ?

— Non, c'est des vieux chats qui ont besoin de soins.

— Y ont l'air pas si mal, pourtant…

— Je sais, ça se plaint pas beaucoup, les chats, y se terrent dans un coin tranquille quand y ont mal. Pis le poil est trompeur. Regardez celui-là, passez votre main ici.

— Oh ! Y est tout maigre !

— Y a un gros problème de dents, y arrive probablement pus à s'alimenter depuis un bout de temps.

— Je me suis pas rendu compte de ça.

— C'est pas de votre faute, à la quantité de chats qui passent ici, vous pouvez pas contrôler ce que chacun mange. Pis y est pas allé vous le dire.

— Mais quand même…

— Madeleine, c'est un très vieux chat, c'est normal, on vous reproche rien.

— Vieux comment ?

— Hum… en âge humain, pas loin de cent ans.

— Oh !

— Y aurait pas vécu cent ans sans vous.

— Vous allez le soigner ?

— On va faire de notre mieux.

— Vous allez le ramener ici, après ?

— Vous aimeriez ça ?

— Est-ce qu'on pourrait le placer dans une famille ?

— Si vous voulez, oui, ce serait une bonne idée.

— Y pourrait rendre des petits enfants heureux, mes garçons adoraient les chats.

— OK, on fait ça.

— C'est mieux pour lui.

— Pour vous aussi.

— Peut-être, oui.

Une fois dans la camionnette, Charlotte m'a exposé les faits avec moins de dentelle.

— On pourra pas le soigner, y est déjà trop tard.

— Mais pourquoi t'as dit ça ?

— Pourquoi y dire autre chose ? Qu'est-ce que ça changerait ?

— Mais c'est pas la vérité !

— La vraie vérité, m'man, c'est qu'on aimerait ça le sauver, vraiment, mais que ça marche pas de même. On euthanasie à longueur de journée des chats en ben meilleure santé que lui parce qu'on trouve personne pour les prendre. C'est ça, la vérité. T'en prendrais un, toi ?

— Mais non, j'ai déjà Steve. Pis lui, y est malade.

— Ben voilà !

— Y a quoi, l'autre ?

— Souffle au cœur, des deux côtés, y peut paralyser ou mourir d'une minute à l'autre.

— T'as vu ça comment ?

— J'ai écouté.

Elle m'a pointé le stéthoscope qui dormait entre ses seins sous son chandail de laine. La désillusion la gagnait petit à petit, donnait par moments des inflexions sévères à sa voix. Sa belle naïveté de jeune étudiante en prenait pour son rhume depuis son entrée à l'université. Il fallait sauver, oui, mais donner la mort aussi, trop souvent, même quand ça paraissait contre-nature et que ça ne faisait aucun sens.

— Mon bébé…

J'ai laissé ma main descendre doucement le long de sa belle colonne vertébrale toute droite, intacte, qui ferait d'elle un chêne, dedans comme dehors. Un chêne-roseau qui saurait ployer.

11

Où je me fais avoir comme une débutante.

Il ne restait qu'à attacher les haricots avec la soie dentaire quand je suis arrivée chez Claudine. Les sauveurs d'animaux reviendraient un peu plus tard, après avoir fait de leur mieux pour les vieux condamnés. Les autres se pointeraient vers dix-huit heures, comme d'habitude, Alexandre et Justin pile poil à l'heure, Antoine et Malika à un moment donné, quand ils le pourraient. Rosanne faisait la sieste après avoir géré et contrôlé le chantier du bouilli. On souperait tous ensemble pour permettre à Rosanne de voir tout le monde. J'en ai profité pour raconter l'histoire de Madeleine à Claudine, qui n'a, pour une des rares fois de sa vie, rien trouvé à dire.

On a siroté en silence un verre de pinot gris – la règle de trois nous l'autorisait – qui s'accordait à merveille avec notre humeur, très mal avec le bouilli; les chances que la bouteille survive à l'apéro étaient par ailleurs à peu près nulles. On a filé un moment dans notre tête, savourant notre époque bénie pleine de défauts, d'icebergs fondus et de présidents bouffons, mais peuplée de bons accoucheurs.

— J'ai juste de la soie dentaire à la menthe.
— Yark!
— Ben non, ça goûte pas.
— Oui, ça goûte. T'as dit ça de tes maudits cure-dents pour les clubs sandwichs la dernière fois. J'en ai de la sans saveur chez nous, je monte en chercher.

Sur la table de la cuisine, écrit en grosses lettres rouges sur une feuille blanche huit et demi par quatorze, il y avait un numéro de téléphone et un nom, « Guy ». C'est à la matante qu'est allé mon premier texto.

T'en as, de la soie sans saveur!

Fallait que je trouve une façon de te faire monter.

Tu l'as trouvé où?

Le gros panneau devant l'école.

T'es allée à l'école?

Chacha a pris une photo du panneau pour moi quand vous êtes allées chez Madeleine. J'y ai dit qu'on voulait faire des travaux.

Cha le sait, pour Guy.

Enweille, appelle!

Je vais passer pour une maudite fatigante.

C'est lui qui t'a invitée en premier.

La douche, c'est moi.

Le verre, c'est lui.
Envoie-z'y au moins un
texto pour t'excuser pour
hier, ça va ouvrir une
porte.

Si y répond pas,
qu'est-ce que je fais ?

Tu continues ta vie
comme avant. Pis tu
descends finir ton verre
de vin.

On ne fait pas plus terre à terre que Claudine. J'ai donc préparé un texto qui s'en tenait aux faits : « Allô ! Désolée pour hier, j'ai été obligée d'aller à l'hôpital de toute urgence. On se reprend pour le verre. Diane. xxx » À la dernière seconde, j'ai effacé les « x », je n'arrivais pas à évaluer le degré d'intimité que m'autorisait la scène de la douche de la veille. J'ai pesé sur « envoyer » en descendant l'escalier.

— C'est quoi c'te face-là ?
— Y m'a déjà répondu !
— Tu y as écrit quoi ?
— Ce que tu m'as dit.
— Pis y a répondu quoi ?
— Je sais pas, j'ai pas encore regardé.
— C'est peut-être même pas lui.
— Ç'a sonné tout de suite après mon message.
— Ben regarde !

— Non.

— Donne-moi ton téléphone.

— Non.

— Donne ! Bon, on va regarder…

— Mais si c'est pas positif ?

— Arrête de te faire des scénarios ! Tu te gâches la vie pour rien ! Attention, je lis… Tabarnane, c'est court : « T'es blessée ??? » Coudonc, qu'est-ce que tu y as écrit… Franchement ! À quoi tu penses ? C'est sûr qu'y va paniquer si tu y dis que t'étais à l'hôpital !

— J'ai pas pensé qu'y penserait ça…

— Allô ! Houston ! « J'ai été obligée d'aller à l'hôpital de toute urgence. » Y est supposé penser quoi ?

Je m'ennuyais terriblement de l'époque où on tuait les quiproquos dans l'œuf en se parlant de vive voix, alors qu'on réglait en trois minutes ce qui nous demande aujourd'hui cent vingt-deux textos. De surcroît souvent impossibles à déchiffrer.

— Après, je parle de reprendre notre verre, me semble que c'est évident que j'suis pas morte.

— OK, réponds vite.

— Je réponds quoi ?

— Dis-y que t'es allée là pour une amie.

— Toi ?

— Genre.

— Mais c'est lui qui nous a emmenées à l'hôpital la fois de *Flashdance*, y va finir par penser que tu fais exprès.

— Dis-y juste que c'était pas pour toi pis que tout est beau ! Y va toujours ben pas te relancer pour savoir c'était pour qui !

— Écris-y, t'es meilleure que moi pour ces affaires-là.

— OK.

— Qu'est-ce que tu vas y écrire ?

— Ce que je viens de te dire.

— Y va penser que j'ai quèque chose à cacher.

— Non, y va juste penser que t'as pas envie de l'emmerder avec tes histoires.

— Ou que j'ai inventé une excuse bidon, que c'est même pas vrai, l'hôpital…

— Parti !

— Qui ?

— Le message.

— Non !

— Tu m'as dit d'y écrire.

— Est-ce qu'y a l'air de répondre ?

— Laisses-y le temps de lire le message… Taboire, y perd pas de temps : « Ce soir ? »

— Ce soir quoi ?

— Devine.

— Montre !

Superposée sur ma photo préférée (les grosses faces rieuses de mes trois enfants croquées peu de temps après ma séparation), dans l'encadré arrondi surmonté à droite du mot « maintenant », je pouvais lire « Ce soir ? », avec un beau point d'interrogation. Je suis allée voir ce qui précédait : « Je vais super bien, inquiète-toi pas, c'était pour une amie. J'ai vraiment hâte qu'on se reprenne pour le verre. xx »

— T'as mis des becs !

— Deux petits.

— J'ai l'air de quoi ?

— D'une fille qui a hâte de le voir.

— Non, d'une désespérée.

— T'es désespérée.

— MAIS PAS PANTOUTE ! J'SUIS PAS DÉSESPÉRÉE !

— L'affaire la plus excitante qui t'est arrivée dans les six derniers mois ?

— Plein d'affaires…

— Ton aspirateur Dyson acheté avec tes Air Miles.

— Attends, c'est toi, toi qui me parles de vie excitante ?

— Oui, moi, parce que si j'avais la moindre chance, moi, qu'y m'arrive quèque chose comme ça, je sauterais dessus à pieds joints, moi, je courrais à toutes jambes pour aller rejoindre le beau champion. J'essaye juste de t'aider.

— Mais j'ai pas besoin d'aide !

— T'as besoin d'aide certain, vous étiez à poil dans ton salon hier, pis y s'est rien passé !

— Y s'est endormi !

— Y a fini par se réveiller…

— Trop tard, fallait partir !

— Ça prend dix secondes, *frencher* !

— C'EST PAS SIMPLE DE MÊME !

— OUI, C'EST SIMPLE ! TU PENCHES LA TÊTE, TU SORS LA LANGUE ! *THAT'S IT, THAT'S ALL* !

— PAS DE MA FAUTE, ADÈLE EST DÉBARQUÉE…

— Adèle ? Comment ça, Adèle…

J'aurais dû me méfier de moi-même, je l'avais sur le cœur. Il était trop tard pour ravaler mes mots, et j'étais trop saisie pour inventer une histoire qui se tiendrait et qui sauverait Adèle.

— Ta mère voulait pas aller à son rendez-vous, Adèle est venue me chercher.

— Personne m'a dit ça.

— Adèle s'en vantera pas. Pis Rosanne a pas vraiment compris.

— À m'a parlé d'un infirmier « fort comme un bœuf ».

— Y a pas d'infirmier avec le transport adapté…

Claudine s'est attrapé l'entre-yeux en baissant la tête.

— Guy…

— C'est pas grave.

— T'aurais pas dû aller répondre.

— J'ai pas eu besoin.

Elle a pincé plus fort.

— La petite crisse !

— Inquiète-toi pas, je me suis vengée.

— Je m'en mêle pas. C'est mieux pas. J'ai beaucoup trop de violence en moi ces temps-ci.

J'ai expliqué à Guy que mon troupeau débarquait et qu'on devrait se reprendre, sans préciser le moment. Ça sonnait un peu grand-mère, comme réponse, mais grand-mère bien entourée. Ma famille était la plus belle partie de mon histoire, je n'allais pas la renier. Comme je le craignais, il m'a répondu avec l'icône du pouce levé, que j'ai interprété comme une façon de balayer notre rendez-vous dans la semaine des quatre jeudis – où dormaient, pour l'instant, mes envies de courir et ma nouvelle identité érotique. Que nous ayons gagné vingt piasses ensemble et passé un moment en serviette dans la même pièce ne changeait pas grand-chose à l'affaire : nous en étions à peine au stade de l'amitié becs sur les joues.

■

Alexandre et Justin sont arrivés tout juste à l'heure, avec un bouquet de chrysanthèmes bordeaux en pot à planter dans la cour, dans le jardin des nains, un bouquet de marguerites pour Claudine, l'hôtesse officielle de dernière minute, et un duo de bonnes bouteilles qui magnifieraient le bouilli, en gommeraient les faiblesses, rehausseraient la fadeur des carottes déjà classées hors saison. Ils portaient des belles chemises colorées, comme toujours, qui exerçaient sur la main une force d'attraction semblable à celle qu'opère le ventre des femmes enceintes ; on les touchait effrontément sans s'excuser, fasciné par la qualité du tissu, le chatoiement de la fibre et la chaude étrangeté des coloris. Alexandre s'est approché à trois pouces de mon visage : « C'est beau ton maquillage, maman. » J'ai eu envie de pleurer tellement c'était doux.

À la grande surprise de tout le monde, Antoine et Malika sont arrivés dans la minute suivante, habillés de frais et peignés avec soin. C'est là que j'aurais dû commencer à me douter de quelque chose, la réalité ne se distord jamais sans raison. J'ai mis ça sur le dos de la petite crise existentielle que je venais de faire à Antoine et qui avait peut-être, momentanément du moins, brassé la lie du confortable laisser-aller sur lequel sa douce et lui échafaudaient habituellement leur vie domestique. Ça ne durerait pas, évidemment, mais j'ai mis un enthousiasme débordant dans mon accueil pour qu'ils comprennent que je les encourageais de tout cœur dans cette voie.

Suivie de son gentil invertébré, Charlotte est débarquée avec une bouteille de vin bleu (!?!) et une bonne nouvelle : elle était passée chez Simon, notre petit voisin grand fan des nains de jardin, et avait convaincu la famille de prendre l'un des vieux chats qu'ils avaient ramenés au refuge. Comme leur chat Patate 2 déclinait rapidement – les yeux s'étaient couverts d'un voile éternel, les reins étaient sur le point de cesser de fonctionner – et que Charlotte était parvenue à leur vendre l'idée qu'ils sauveraient le monde en adoptant encore une fois un chat « usagé », l'affaire semblait en passe de pouvoir se régler. Ils prendraient le moins magané des deux. Dominic se chargerait de leur apporter le chat gracié dans la semaine.

— Pis l'autre ?

— On a personne pour l'autre.

— Qu'est-ce que vous allez faire ?

— Ce qu'on peut, maman.

Il a fallu que Laurie débarque avec une bouteille de bulles – et seule, ce que nous nous sommes retenues de relever – pour que j'arrive enfin à comprendre ce qui se passait autour de moi, et précisément de « moi » : un verre à la main, ils s'étaient entassés sur les divans et les bras de ceux-ci, formant un cercle qui se resserrait sur mes flancs. Dominic s'était même installé dans une pseudo-pose de yoga à mes pieds. J'aurais été une gourou qu'on ne se serait pas disposés autrement pour faire de moi le soleil de la réunion.

— OK, qu'est-ce qui se passe ?

Ils se sont regardés en souriant. On y était, le Rubicon brassait ses eaux tumultueuses devant nous. Je les sentais prêts à me tenir tête et à le franchir, malgré mes menaces. Les enfants n'écoutent pas, c'est bien connu. Les meilleurs amis non plus.

— J'avais dit pas de fête d'anniversaire.

— Ça tombe bien, c'est pas ça qu'on fête.

— On fête quoi ?

— Ton non-anniversaire.

— C'est le non-anniversaire de tout le monde.

— C'est plus le tien, vu que c'est ta fête bientôt.

— Mais non, c'est le contraire.

— Les règles ont changé, m'man.

Quand les enfants avaient découvert les non-anniversaires que célébraient le Chapelier fou et le Lièvre de Mars dans *Alice au pays des merveilles*, les prétextes pour manger des gâteaux McCain au beau milieu de la semaine s'étaient multipliés. Les grands malheurs de la vie – les exposés oraux ratés, les chevilles foulées, le déménagement des meilleurs amis – avaient souvent été soignés à coups de non-anniversaires. Quelques enterrements aussi. Je ne pouvais légitimement pas leur reprocher d'en faire usage pour me déjouer, même si je devais reconnaître qu'ils m'avaient eue comme une débutante. Ils opéraient seulement un transfert de compétence qui ramenait le drame de mes cinquante ans au niveau d'un examen raté.

— Alors j'aimerais porter un non-toast à la plus jeune des mères…

— … à ma *best* que j'aime comme une sœur…

— … à la plus *cool* des belles-mères…

Laurie s'est contentée de me faire un clin d'œil, Rosanne souriait en sirotant doucement son rosé, le pied coincé dans sa botte de contention posée sur un gros pouf.

— Longue vie à la non-fêtée !

Tout en transgressant la loi que j'avais édictée pour ne pas sentir le moton du demi-siècle passer, ils avaient trouvé la formule la plus susceptible de me plaire: un bouilli d'automne avec ma garde rapprochée était pour moi, et de très loin, la plus flamboyante des idées. Ma voix s'est tordue d'émotion quand j'ai balbutié des remerciements.

On m'a donné des bulles et l'ordre de ne plus me lever du reste de la soirée, sauf pour aller aux toilettes ou danser, si l'envie de me dégourdir me prenait. On me servait des petites bouchées cueillies chez le traiteur du coin – qui me déchargeaient de la culpabilité que j'aurais autrement ressentie d'avoir confiné les miens à leur fourneau pour la journée – sur de jolies serviettes de tables mini-format, comme je les aime, on remplissait mon verre, déplaçait les coussins pour s'assurer de mon confort, m'écoutait attentivement, me regardait à angle, en penchant un peu la tête, les yeux pleins de douceur. Sans trop de surprise, je me suis retrouvée avec les plus belles pièces de lard salé dans mon bol sans que personne ose, ô miracle, me les disputer. On ne m'a pas laissée moudre moi-même mon poivre. Un souper de fête ou de non-fête diffère en ceci des repas ordinaires: tout le monde est obligé de laisser au vestiaire ses mille et une petites misères du quotidien pour jouer avec sincérité la carte de la bonne humeur et de l'amour des autres. La véritable magie est là, bien au-delà du bonheur fugace que peuvent offrir les gâteaux chimiques. C'est pourquoi Adèle, arrivée furax au beau milieu du souper en brandissant son sac à dos – « C'est qui l'écœurant qui m'a collé ça ? » –, s'est vite fait rabattre le caquet par le regard chargé de paix des convives. Elle a tout de suite compris, dans le clin d'œil que je lui ai glissé par en dessous, que c'était à moi qu'elle devait d'être passée pour une « ostie de *freak* ». À la guerre comme à la guerre.

Mes enfants ont eu l'élégance de ne pas me faire de montage photos et de m'épargner ainsi d'avoir à feindre de ne pas me rappeler Jacques derrière l'appareil ou de ne pas le voir dans les pans d'ombre des photos trafiquées. Et qu'auraient-ils pu faire de la petite dizaine de photos floues que je possédais de ma jeunesse, sinon rendre plus évident encore le trou béant que Jacques avait laissé en s'arrachant de l'histoire pour aller figurer ailleurs, dans une image aux coins moins racornis ? Malgré les efforts surhumains que je faisais souvent pour me raccrocher à la beauté des années qui précédaient le trou, je m'enfargeais encore dans les saillies de ses pourtours et sombrais dedans sans trouver de prise pour freiner ma chute. Et dans mes nuits d'angoisse où je revivais ce que je mettrais encore des années à digérer, le spectre de l'enveloppe enfermée dans le mur de mon ancienne maison me poursuivait de ses secrets assassins.

Pendant que j'étais occupée à ne pas pouvoir faire la vaisselle, j'ai failli échapper mon téléphone en jetant un œil à mes textos : Jacques m'avait écrit trois fois.

D'abord, à dix-huit heures onze.

Merci d'être venue hier,
ça m'a fait un bien fou de
te voir. xx

Puis, à dix-huit heures vingt-trois.

Opération confirmée
lundi matin.

Enfin, à dix-huit heures quarante-six.

Je suis juste un vieux
con.

J'ai tenu un moment mon téléphone à distance pour éviter que le tumulte de ces quelques mots ne m'atteigne. Mon geste n'a pas échappé à Claudine, qui est venue me rejoindre au petit trot en évitant magiquement de renverser le vin de son verre trop plein.

— C'est qui?

— Personne.

— Je veux voir.

— Non.

— C'est Guy?

— Non.

— Qui?

— …

— OK, c'est le vieux crisse.

En forçant un peu, elle a réussi à sourire encore plus, au risque de s'infliger de nouvelles rides creusées dans des portions de chair encore vierges. Ses mots fielleux se sont faufilés entre ses dents.

— J'espère que tu vas l'envoyer chier.

— Ça devrait ressembler à ça, promis.

Je suis allée aux toilettes pour pouvoir répondre à ses trois questions d'un seul coup: « Plaisir. Merde. Bien d'accord. » Pas de becs ni rien, des réponses chirurgicales pour une coupure bien nette. Claudine m'attendait quand je suis sortie.

— Tu sais que Jacques vient d'entrer dans la phase du désenchantement.

— J'avais compris.

— Pis que ça vient avec de la culpabilité, des remords, plein de conneries du genre qui y font penser qu'y s'est peut-être trompé, mais que c'est du grand n'importe quoi.

— Hum hum.

— C'est juste un soubresaut, comme dans les films, quand les gens ont un petit coup de *pep* avant de crever.

— Je sais.

— Y est juste dans un creux avec Nunuche, y *badtrippe*, y fait son propre procès pour mieux se vautrer dans la douleur, mais ça va passer.

— Je sais.

— Y va faire de la purée viandeuse avec ton petit cœur si tu le laisses s'approcher.

Claudine savait parfaitement de quoi elle parlait, son Philippe lui avait fait le coup du glorieux retour avant de la jeter à nouveau comme une vieille bobette une fois la garde baissée. Si cette deuxième vague de douleur n'avait pas été pour elle aussi destructrice que la première, c'est seulement parce qu'il en restait moins à détruire.

— Viens-t'en !

Elle m'a tendu un nouveau verre de bulles.

— C'est l'heure du dessert !

Géant, le paris-brest, monstrueux, même. La couronne flottait en suspension sur des spirales de crème pralinée sculptées en colonnes. Un temple grec en pâte à choux. On m'a déchargée du sacrilège de le tailler en pièces. La croûte crissait sous la lame aiguisée, une vraie douleur. Le reste est allé dans un plat de plastique, pour moi toute seule. Je m'étais passée de régime pendant un demi-siècle, ça pouvait encore attendre un peu.

— Bon, maman, viens t'asseoir au salon.

— Pour…

— Tu vas voir.

— J'avais dit pas de bien-cuit.

— Ben oui, on le sait, c'est pas ça, assis-toi.

Ils n'avaient pas encore commencé à lire leur texte – Charlotte tenait des petits cartons, Alex un cahier Clairefontaine aux pages soyeuses, et Antoine une feuille fripée – que j'étais émue aux larmes de les voir ensemble, les coudes collés, si réussis, si pimpants et pleins de vie, Jacques avait raison. Au signe de mon index levé, Claudine est venue remplir mon verre, je pourrais au moins faire semblant de m'étouffer en buvant si je craquais trop vite.

— On va pas raconter tes petites manies, les fois où t'as eu l'air folle pis ce genre de conneries-là, y en a trop…

On y était, ça sentait le chauffé.

— Vu que c'est un non-anniversaire, on a décidé de te faire un non-bien-cuit…

— Donc un bien-cru…

— Médium-saignant.

— … pour se rappeler gentiment non pas ce que tu as fait durant ta vie, mais plutôt…

Et tous les trois, en chœur.

— … ce que tu n'as pas fait !

— Ça s'intitule : « Les cinquante choses que tu n'as pas faites. »

— On a pris un chiffre au hasard, juste de même, on aime les chiffres ronds, aucun rapport avec le non-anniversaire…

— Y aura pas de scènes croustillantes, pas de meurtres, pas de sexe, désolés Claudine.

Nous n'en étions qu'au titre, et ça s'amusait ferme. J'avais été bien naïve de croire que j'y échapperais. La vengeance se présentait sur un plateau d'argent pour Adèle, je l'ai compris à son retour de clin d'œil ourlé d'un air baveux. J'ai pris une grande inspiration.

— Maman…

— Chère maman…

— Petite maman…

— Bon, tu n'as pas fini ton diplôme universitaire…

Bon départ, ça promettait. Pour ne pas paniquer, j'ai essayé de me rappeler que mes enfants ont le sens de l'humour développé. Et moi, celui de l'autodérision.

— … mais ça t'a pas empêchée d'avoir une bonne job, d'être pour nous un modèle de femme organisée, travaillante…

— … légèrement *control freak,* comme toutes les mères….

Rosanne a demandé à Adèle ce que ça voulait dire. « Germaine », qu'elle lui a répondu, à la grande satisfaction de sa grand-mère.

— Tu n'as jamais vraiment réussi à apprendre l'anglais…

— … ce qui ne t'empêche pas d'essayer de baragouiner des affaires à peu près intelligibles quand c'est nécessaire. Pis tu sais qu'on est là pour traduire, fait que…

— Tu n'as jamais perdu patience avec nous, ni quand je pissais au lit…

— … ni quand j'échappais mon bol de céréales plein de lait dans l'escalier…

— … ni quand j'ai perdu ma boîte à lunch trois fois de suite dans le mois de septembre en première année…

— … ni quand j'ai vomi sur le divan, après une brosse au schnapps aux pêches…

— … ni quand je me suis coupé les cheveux moi-même en les taillant à la racine pour pus avoir de toupet…

— … ni quand j'ai fait fondre mes espadrilles neuves en les laissant sur le calorifère de l'entrée que j'avais mis à trente degrés pour accélérer le séchage…

Pendant le long chapelet d'anecdotes qu'ils ont égrené en se moquant les uns des autres – et de moi, par la bande, comme dans n'importe quel bien-cuit, malgré leurs précautions –, la mosaïque de notre quotidien ensemble s'est doucement redessinée, pigmentée de petits drames tout aussi amusants aujourd'hui qu'ils avaient pu être dévastateurs à l'époque. Dans leurs mots brodés de tendresse, je reprenais la place de la mère que j'avais été, tour à tour épuisée, patiente, exaspérée, inquiète, émerveillée. L'effet accordéon de la démultiplication des émotions qui rejaillissaient m'a presque privée de souffle, comme chaque fois que je suffoque d'amour pour eux. Ce vertige me rend terriblement vivante.

— Même si tu sais que tu n'as jamais été et ne seras jamais sur le *beat*…

— … tu ne t'es jamais empêchée de danser.

— Tu n'as pas refait la pseudo-queue de cheval que papa m'avait patentée comme y pouvait le jour de la photo d'école de ma troisième année…

— … ni rien dit pour te défendre quand grand-maman t'a reproché de pas savoir coiffer ta fille en recevant la photo.

Charlotte imitait bien sa grand-mère, son air hautain, son ton outré, avec sa main cassée qui battait le rythme de son exaspération.

— Même si tu n'en avais pas envie, vraiment pas envie, tu n'as pas fait d'histoire pour te marier…

— … ni pour te démarier.

— Devant les grandes douleurs, la mort comme la séparation, tu n'es jamais tombée…

— … tu as à peine vacillé…

— … dans une cabine d'essayage…

Charlotte m'a fait un clin d'œil. J'ai pris une gorgée. Claudine m'a suivie. Mon téléphone a vibré, je n'ai pas regardé.

— Tu ne nous as jamais reniés, même quand nous aurions mérité de l'être.

— Tu ne t'es jamais défilée quand on s'est montrés gauches…

— … maladroits…

— … traîneux…

— … chialeux…

— … paresseux…

— … gais…

Tout le monde a ri.

— Maman, petite maman, tu n'as jamais réussi à penser d'abord à toi.

— Tu n'es pas allée en Italie avec ta sœur Francine, le rêve de ta vie…

— Ma faute : scarlatine.

— Tu ne t'es pas inscrite à la Zumba…

— Notre faute : hockey…

— … et les devoirs et leçons que j'aurais pas faits si tu t'étais pas assise chaque jour avec moi pour me pousser à les faire, à bien les faire.

— Tu ne nous as jamais parlé en mal des autres…

— … même pas de grand-maman, c'est tout dire…

— Tu n'as jamais mis tes malheurs sur le compte des autres…

— … ni sur celui du gouvernement.

— Tu ne nous as jamais laissés nous détester entre nous…

Cascades de gentils coups de coudes.

— … ni laissés nous coucher sans avoir réglé une chicane.

— Tu ne nous as jamais laissés croire que la vie était facile.

— Merci maman, c'est très pratique.

— Tu ne nous as jamais laissés végéter devant la télé quand c'était le temps des corvées.

— Mais tu ne nous as jamais forcés à manger des tripes ou du boudin…

— … ou des choux de Bruxelles. Gros merci, maman.

— Tu ne nous as jamais « vraiment » donné l'occasion d'avoir honte de toi.

— Euh…

— On faisait semblant, maman.

Claudine a regardé ses filles. Adèle l'a ignorée, Laurie a souri.

— Tu n'as jamais eu à nous défendre…

— … tu nous avais appris à le faire tout seuls.

— Tu ne nous as jamais permis d'être indifférents au sort des autres, des moins chanceux que nous, qui sont légion…

— … ni de croire que nous étions meilleurs que Pierre-Jean-Jacques…

— … ni de penser que notre aisance matérielle nous était due de droit.

— Tu ne nous as jamais laissés prisonniers de nos peurs.

— Tu n'as jamais déchargé ta colère sur des humains…

— … les pichets d'eau pis le café tiède comptent pas…

— … ni les bahuts, les haut-parleurs ou les bibelots.

Les pneus de chars non plus, heureusement.

— Tu ne nous as jamais reproché ce que nous n'étions pas.

— Presque pas.

Clin d'œil d'Antoine. J'ai pris une autre gorgée bien généreuse pour camoufler la montée de mes sanglots.

— Tu ne nous as jamais laissés douter de nous.

— Tu n'as laissé personne nous dicter ce que nous valions…

— … ou ce que nous étions.

— Chère maman.

— Petite maman.

— Tu n'es pas une petite maman…

— … mais une très grande maman…

— … une fabuleuse maman…

— … qui pour nous ne vieillit pas.

— Chacune des choses que tu n'as pas faites, maman, cache mille générosités, mille dons de soi, mille sacrifices que tu as faits pour que nous devenions ce que nous avons été, ce que nous sommes ou nous apprêtons à devenir…

— … des enfants comblés…

— … des ados épaulés…

— … des adultes heureux…

— … des bons citoyens…

— C'est Alex qui tenait à ça.

— … des êtres qui savent aimer…

— … être aimés…

Quand le non-hommage a pris fin, tout le monde s'est mis à applaudir, je braillais comme une Madeleine. Il me venait des « Ben voyons », « Ç'a pas de bon sens », « Vous auriez pas dû », « C'est trop » que j'ai gardés pour moi tant parce que j'étais incapable de les articuler que parce qu'ils m'auraient condamnée, irrémédiablement, à entrer dans la catégorie des matantes radoteuses, ce que j'avais à peu près réussi à éviter si je me fiais au déferlement de compliments dont on venait de me couvrir. Dominic, avec son raffinement habituel, a couvert nos embrassades d'un sifflement strident, les doigts enfoncés jusqu'à la luette comme à l'aréna.

— C'est l'heure du cadeau !

— Ben non ! Pas un cadeau en plus ! J'avais dit pas de cadeau, j'ai besoin de rien…

— Ça tombe bien, c'est pas pour toi. Assis-toi.

Claudine a rempli mon verre pendant qu'ils déposaient devant moi une énorme boîte brune de carton qui avait l'air de peser une tonne et sur laquelle ils avaient dessiné, aux crayons de feutre de couleurs, des petites fleurs et des animaux dans un style très naïf; à l'exception du lapin aux oreilles démesurées qui laissaient peu de place à l'ambiguïté, je n'ai pas été en mesure d'identifier les autres bêtes. Pour ce que pouvait contenir la boîte, pas moyen de deviner, je n'avais aucune prise, pas de forme, de texture, d'odeur. Forcément, à cause des animaux, il y avait un lien avec les enfants, mais…

— Je vais être grand-mère ?

— Hein ? Non ! Ben non, on te ferait pas ça avant tes cinquante…

— Mon Dieu ! J'ai eu peur…

Manque total de délicatesse de ma part, je savais Justin et Alexandre en réflexion pour l'adoption.

— Ouvre.

— Mais veux-tu ben me dire…

— Vas-y !

Sous le papier journal froissé est apparue une boîte de jeu, puis des livres, un Battleship, un sac de dés, un Mille Bornes (!), des Lego, des Playmobil dans des sacs Ziploc, des cartes, d'autres jeux, alouette.

— On a pensé à tes petits. Vu que t'aimes donner.

— On a fait une base avec du neuf pis on a complété en faisant un appel à nos amis et connaissances.

— Le UNO, c'est le mien, mais y joue mieux qu'un neuf, les cartes ont ramolli un peu.

— On a enlevé les verres à vin dans le Playmobil de mariage, on trouvait que ça faisait pas très… maternelle.

— On a laissé les épées aux chevaliers, on savait pas trop pour les armes blanches.

— Mais pas les fusils aux chasseurs, tu diras que c'est des explorateurs…

— … ou des écologistes en train d'évaluer la destruction des milieux naturels par les multinationales qui font de la déforestation sauvage avec l'aval des gouvernements corrompus pour se remplir les poches.

— Veux-tu des bulles, ma belle Chacha ?

Mon téléphone a vibré deux fois. Je n'ai pas pu résister. Jacques.

> Joyeux non-anniversaire ! xx
> J'ai vu Antoine hier, c'est lui
> qui m'a dit. Ça doit être
> beau de vous voir tous
> ensemble.

J'ai levé les yeux sur une Claudine beaucoup trop souriante.

— Guy ?

— Hum hum.

Ses doigts se sont refermés sur mon écran.

— Je m'en doutais.

— Je répondrai pas de toute façon.

— Tu pourras pas, je le garde. T'en as pas besoin.

— Oui, j'en ai besoin. J'attends un message important.

— Je te ferai signe quand t'auras des messages.

— Je veux pas que tu répondes à Jacques.

— Promis.

Elle m'a montré ses doigts croisés, sa langue épaisse de matante un peu soûle.

— Vous êtes pas en train de vous chicaner, les filles ?

— Oh ! Alex ! Ta mère aimerait ça qu'on fasse un *dance floor* !

— Ouiii ! Bonne idée ! Antoine ? Sors ta *playlist* ! On t'en a fait une spéciale, en plus.

Alexandre et Justin suivent des cours de swing depuis plusieurs mois. Les voir danser m'hypnotise complètement, j'ai l'impression que le fond de l'air devient liquide et que des fleurs vont leur sortir du bout des doigts quand ils bougent. Qu'une femme aussi cruellement dénuée du sens du rythme que moi ait pu engendrer un être capable d'une telle harmonie musicale est une belle démonstration de l'efficacité de la sélection naturelle qui s'opère jusque dans les gènes ; les siens avaient éjecté le chromosome pas-de-*beat* que je lui avais refilé bien malgré moi. Il y a de l'espoir pour l'espèce.

Ils sont même parvenus à me faire « danser », à me laisser croire que je posais les pieds au bon moment, que je suivais le mouvement, que mon corps acceptait d'être commandé, de se transformer en yoyo par le jeu des bras qui poussent, retiennent et relancent. Alors j'ai fermé les yeux pour sentir mes mouvements sans les voir, éprouver ma fluidité imaginaire sans en briser l'illusion. J'étais portée par les brumes de l'alcool et le bonheur d'être aimée, je me sentais belle et puissante, inatteignable. Heureusement que Claudine m'avait confisqué mon téléphone, j'aurais été capable de faire des conneries par excès d'enthousiasme. Des tonnes de comédies dramatiques poches commencent comme ça d'ailleurs.

Une fois tout le monde parti, Rosanne installée dans son lit (elle s'était endormie sur le divan où nous l'avions laissée filer, parce que c'est infiniment *cute*, une grand-mère qui dort au beau milieu d'un *party*), je suis sortie avec Claudine pour la regarder fumer sur la terrasse. Sur la tablette secrète au-dessus du micro-ondes, des cigarettes sèchent patiemment dans leur paquet en attendant d'agrémenter ses fins de soirées arrosées. Même si je suis incapable de fumer – le cœur me lève aussitôt –, j'aime l'odeur de la cigarette, plaisir inavouable aujourd'hui. La cigarette me rappelle ma mère, le confort enfumé de notre petite cuisine de la 14e Rue, la table en Formica, les patates pilées extra-beurre, les soirées devant la télé à rire du faux naturel des comédiens de nos téléromans préférés. Quand je tombe par bonheur dans le sillage d'un fumeur sur la rue, j'aligne mon pas à sa traînée de boucane et me paie un petit voyage dans le temps qui ne me coûte rien, sinon quelques minutes de vie à mettre dans la grande marmite des petits regrets.

— Adèle nous regarde. Avec des yeux méchants… *Shit* ! À s'en vient.

La porte-patio a tout aspiré en coulissant.

— NON MAIS TU ME NIAISES ! TU FUMES UNE CIGARETTE ?

— Ben oui, ça se mange pas.

— Pis le cancer ?

— Je fume une fois par jamais, ça compte pas.

— Tu peux quand même pogner le cancer.

— J'assume.

— T'assumes ? Qui va être obligé de s'occuper de toi quand tu vas être malade ? Qui va payer pour ta chimio, tes perruques, l'hôpital pis toute ?

— Les mêmes qui vont payer pour ton cancer du cerveau.

— Rapport !

— C'était dans le journal : quatre heures et plus d'Instagram, d'*amazing musically* pis de niaiseries de même par jour, ça fait fondre le cerveau qui vire en sauce blanche.

— Pis tu te penses drôle…

Shhhhhlack ! La terrasse a vibré avec le fracas de la porte. L'immeuble tremblait encore quand elle s'est rouverte.

— PIS T'ES PAS À NEUF MÈTRES DE LA PORTE !

Reshhhhhlack !

— Je sais ce que tu vas dire, que je devrais pas la laisser me parler de même, pis ci pis ça…

— J'ai rien dit.

— Cette enfant-là m'épuise.

— À veut pas que tu pognes le cancer. À t'aime. D'ailleurs, à pourrait demander d'être à temps plein chez son père à son âge, pis à le fait pas.

— En parlant du loup… Philippe a une nouvelle blonde.

— Encore ? Pas une autre étudiante ?

— Carole, son petit nom.

— Oh ! Ça sonne au moins cinquante, ça…

— Je pense qu'en dehors du cadre universitaire, où y est d'ailleurs sur le bord d'être solidement dans le trouble, y est condamné aux femmes un peu plus de son âge, en effet.

— Pauvre Phil, la déchéance… Bon, redonne-moi donc mon téléphone.

— Jacques t'a encore souhaité bonne soirée vers onze heures, je sais pas à quoi y s'attendait, l'osti de têteux de mange-marde… J'ai *flushé* votre conversation. Pis sa fiche dans tes contacts. Je me suis retenue d'y écrire un gros *fuck you* en lettres majuscules.

— Tu pourrais le faire éliminer, une fois partie.

— J'y ai pensé, mais j'ai pas d'argent.

— Je pense qu'y essaie juste d'être fin.

— Néo ! Ton libidineux d'ex-mari essaie pas juste d'être fin, j'ai parlé avec Chacha tantôt.

— Chacha ?

— Y sont en *break*, Nunuche pis lui.

— Je l'avais un peu compris.

— 'Est pas juste partie se chauffer le petit cul sur une plage, la *darling*, y se sont séparés pour « réfléchir » chacun de leur bord, pis tu sais comme moi comment ça finit, ces affaires-là.

L'anéantissement de mon mariage et de ma vie pour une idylle de moins de deux ans me donnait le vertige. Ma famille hachée menu par les mille douleurs de la séparation et de la reconstruction pour une amourette de série B, classique, banale, ennuyante ; le beau monsieur vieillissant, une subalterne fouettée par son horloge biologique, une épouse plate et aveugle, un congrès à point nommé, un divorce, un bébé, un essoufflement précoce et un autre grand flop. Une grande histoire balayée par ce qui ressemblait de plus en plus à une histoire de cul éventée, comme un champagne ouvert trop tôt.

Les ostimans veillaient dans l'antre de leur garage tempéré par le souffle bienveillant d'une chaufferette, autrement plus efficace que l'âne et le bœuf. Des hauteurs de notre terrasse, leur vie semblait si simple : se lever, boire du café, essayer de réparer une auto, boire de la bière, jaser. Je les ai salués en souhaitant qu'ils ne sentent pas que je les enviais.

— Fais pas ça, y vont venir.

— Ben non, y sortent pas de leur Batcave.

— Y vont nous demander de venir.

— Bon, je remonte.

— Attends, je te donne des croissants.

— Pourquoi ?

— J'suis allée chez Costco à matin, j'en ai trop.

— J'en ai pas besoin, j'ai tout ce qu'y faut, du pain, des céréales…

— Du lait ?

— Euh… oui, j'ai du lait.

— Bouge pas, je reviens.

Claudine a lancé sa cigarette par-dessus bord et couru dans la maison. La pointe incandescente a fait un vol plané avant d'atterrir dans le tas de feuilles mortes qui jonchaient le stationnement. J'ai pensé aux maisons de stars qui flambent dans les feux de forêt de la Californie et à toutes ces bonnes vignes qui ne distilleraient plus leur nectar divin pour consoler les cœurs et les âmes. Deux minutes plus tard, Claudine ressortait, les bras chargés de sacs.

— Je t'ai mis une boîte de jus.

— Je bois pas de jus.

— Ça vient en paquet de trois, c'est trop pour moi. Si tes enfants passent, t'en auras. Pis je t'ai mis un casseau de framboises, ça vient en *crate* de six, on passera pas au travers avant qu'elles deviennent *squishies*, une moitié de brie de Portneuf, sont gros comme des Frisbees, leurs fromages. Ah ! Pis une barquette de cretons.

— De cretons ?

— Ça vient en paquet de deux.

— Je mange pas de cretons, ça ressemble trop à de la bouffe à chien.

— T'as juste à pas les regarder. Je t'ai mis des Melba, c'est bon avec.

— Pourquoi tu vas chez Costco si tout est trop gros ?

— Ça coûte moins cher.

— Pas si tu me refiles la moitié de ton stock.

— C'est surtout pour le papier de toilette que j'y vais. Je t'en ai mis.

— Venez déjeuner, au moins ?

— Ben non, je t'ai donné juste quatre croissants, on irait pas loin avec ça à 'gang.

— Pis ce gros sac-là ?

— Une caisse de rouleaux d'essuie-tout, pour l'école. Avec tes histoires d'horreur de papier brun…

— Ben voyons, t'es ben fine…

— Enweille, va te coucher, on se les gèle.

— Monte déjeuner avec moi.

— Bof, je pensais vacher jusqu'à midi.

— Tu fais ben.

Je l'ai prise dans mes bras, serrée très fort.

— C'était parfait comme soirée, merci tellement.

— De rien tellement. Tes enfants sont… *pfff*… incroyables.

— J'ai déjà voulu les égorger.

— Je sais.

Je suis montée en petite vitesse pour me donner le temps de faire le vide. Sur la terrasse du deuxième, la brise était plus cinglante, plus cruelle. Je me suis imaginée sur le pont d'un bateau prisonnier d'une mer de glace. J'ai laissé le froid percer mes vêtements, ma peau, mes os et me vriller la colonne un instant pour jouir du plaisir de m'en défaire ensuite dans une bonne douche chaude qu'aucun matelot transi n'a jamais même pu espérer.

J'ai relu mes derniers textos, fait le tour des nouvelles et envoyé un message à Charlotte.

Je vais prendre l'autre
vieux chat malade, ça va
être bon pour Steve. Si
y est pas trop tard. Entre
maganés, y risquent de
se comprendre.

12

Où je mens un peu et me découvre une nouvelle identité érotique.

Il n'était pas encore sept heures du matin quand je me suis retrouvée au café du coin devant un bol de latté sur la mousse duquel dansait une espèce de fougère en forme de cœur sculptée par un barista pépé comme un moniteur de camp de jour. Mon nouvel horaire s'était inscrit durablement dans les fibres de mon corps et ne me laissait plus en repos, même les fins de semaine.

Après m'être détournée du journal – la une révélait que les aînés sont nombreux à s'étouffer en mangeant des *grilled cheese* dans les centres d'hébergement (!?!) –, j'ai laissé mon attention dériver au-delà de la baie vitrée, vers tout ce qui bougeait. Une conclusion s'est rapidement imposée: les maîtres de chiens sont des lève-tôt. Au bout de la laisse d'un magnifique golden retriever roux est soudainement apparue… madame Sophie, habillée en mou, les cheveux défaits, belle comme on peut l'être quand on s'en fout complètement. Si j'avais eu la tête dans le journal, comme les deux seules autres personnes présentes à ce moment-là, elle aurait pu entrer, passer derrière moi, commander son café et ressortir dans le même anonymat. Mais j'étais là, tout sourire, les yeux braqués sur l'élégance de ses formes drapées de coton ouaté. Elle a attaché son chien au support à vélos, m'a fait signe en pointant le comptoir – *une minute, je passe ma commande* – et est venue me trouver. J'y suis allée avec la question traditionnelle en pareilles circonstances.

— Hé! Allô! Tu restes dans le coin?

— Ben… pas vraiment, non.

— Ah?

— Toi?

— Oui, à deux coins de rue. J'ai un duplex avec une amie. J'habite le haut…

Elle a serré les dents en jetant un œil autour, comme si on l'épiait.

— Y est tellement beau, ton chien!

— Y est pas à moi.

— Ah… T'as le temps de t'asseoir un peu?

On a tout naturellement enchaîné en parlant de l'école, des enfants, des faux maux de ventre de la petite Célyane, de l'innommable trouble de Julia – les parents refusaient toute forme d'intervention ou de consultation chez un spécialiste –, de Devan, évidemment, en se tapant le front. Elle adorait son boulot, ne l'échangerait pour rien au monde, malgré l'ingérence des parents et la multiplication des redditions de comptes. Pendant que nous discutions, le barista est venu déposer deux cafés pour emporter devant Sophie avec des grands « Voilà! Voilà! Voilà! ». Je n'ai pas posé de questions, c'est l'un de mes talents. C'était par ailleurs assez clair: l'autre café irait au propriétaire du chien qui vivait dans le coin, contrairement à elle.

— T'es mariée, Diane ?

— Euh… non. Pus maintenant. Divorcée depuis un an et demi.

— Des enfants ?

— Trois. Des adultes.

— T'as été mariée combien de temps ?

— Vingt-cinq ans.

— *Wow* ! Vingt-cinq ? T'as quel âge, coudonc ?

— Je me suis mariée jeune.

— Genre à vingt ans ?

Le calcul (20 + 25 + 1,5 = 46,5) se transformait en compliment. C'était un très joli cadeau pour un lendemain de non-anniversaire de cinquante. Je l'ai accepté sans m'embarrasser de la petite entorse que je faisais subir à la vérité.

— Genre.

— Comment t'as fait ?

— Pour ?

— Rester avec le même homme tout ce temps-là ?

— Ha ! Ha ! T'es mariée, toi ?

— Non, non non, surtout pas, je…

Elle a touché son ventre, respiré à fond, regardé au loin. Je me suis imaginé le pire : cancer, contusions, enfants mort-nés.

— Je suis dans une histoire compliquée.

— Je m'en doutais un peu depuis l'histoire de la sacoche…

— Pis ça me tue.

— Oui ?

— Mais je peux pas m'en aller… je peux pus rester non plus.

— On peut toujours s'en aller.

— On est ensemble depuis toujours, on a les mêmes amis, les mêmes souvenirs, nos parents s'adorent, y a la maison, tout le reste…

— Les gens vont comprendre, pis ça se vend, une maison, je connais un bon agent…

— Pis on est supposés être en train de faire des enfants.

— Oh.

— Pis j'en veux pas. Pas avec lui, pas de lui. Je continue la pilule en cachette. Y me console d'une peine que j'ai pas chaque mois, y est plein d'espoir…

Sa voix s'est étranglée. Elle a brassé ses cheveux comme pour effacer ce qu'elle venait de dire.

— Ça l'anéantirait, si je partais.

— Hum hum… C'est pour qui, l'autre café ?

— Ma sœur. Officiellement.

— Pis officieusement ?

— Pour quelqu'un qui a un beau chien.

— Je vois.

— Y le saura pas, je couvre mes arrières.

— Compte pas là-dessus, y a des angles morts partout.

C'est dans ces moments-là que l'âge compte, sonne vrai. Elle a encaissé le coup avec un léger mouvement de recul du menton.

— Tu… t'as…

— Oui.

— OK… Tu me trouves dégueulasse ?

— Non, pas vraiment. Je pense que je peux même comprendre.

— Oui?

— Hum hum.

J'y ai mis tout ce que je pouvais de sincérité. Certains mensonges sont inoffensifs.

— Bon, faut que j'y aille.

— Je t'ai pas vue ici.

— Merci.

— Pis tu peux venir me parler quand tu veux.

— T'es fine, merci.

Les yeux pleins d'eau, elle est repartie au pas de course, les cafés dans les mains, la laisse coincée sous le bras, le cœur en charpie prisonnier dans sa cage de petits os. Son jules devait l'attendre pas loin, dans des draps encore humides. J'ai pensé au mot «amant», tellement plus doux que «époux», à la fois trop rond et trop sec, à prononcer avec des lèvres en cul de poule. J'avais été sincère avec elle, je ne la jugeais pas, l'enviais seulement d'être aimée par deux hommes à la fois.

■

Guy attendait devant ma porte quand je suis rentrée. J'ai hésité un instant avant de foncer, tête baissée.

— Guy?

— Ah! T'es là! J'étais pus sûr, là…

— De?

— Pour le déjeuner.

— Ah?

— On peut remettre ça, si ça va pas…

— Ben non, le déjeuner, ben non… J'étais juste allée prendre une petite marche. Entre.

Ma maison avait l'air d'une soue à cochons (vivre seule m'avait amenée à un certain relâchement), et je me disais que le beau gars qui fleurait bon le savon aux épices devant moi aurait mérité mieux que ça. Au moins une fille douchée.

— Un café ?

— T'es sûre ?

— Ben oui, entre ! Regarde pas, mon ménage est pas fait.

— Je serai pas long.

— Tu peux être long… tu peux rester, je, j'ai… j'ai rien de prévu, je veux dire…

Les gestes que je faisais d'ordinaire les doigts dans le nez se sont transformés en épreuves : je ne savais plus comment moudre le café, faire monter le lait, où trouver les tasses, le sucre et je n'arrivais pas à marcher normalement, comme si le fait d'être pieds nus – j'avais enlevé mes vieilles babouches – affectait la gravité. Comme de juste, mon petit orteil est allé s'éclater la boule sur le coin de l'îlot en essayant de le contourner. Je me suis récité un petit chapelet maison serti d'objets saints surreprésentés, les poings fermés dans le creux du ventre pour écraser la douleur. Sa main chaude s'est posée sur mon bras, *viens, assis-toi*, il s'est dirigé vers le congélateur, sans rien demander, l'a ouvert, a farfouillé en déplaçant précautionneusement ce qu'il contenait jusqu'à ce qu'il tombe sur mon moule à glaçons en forme d'hippocampes ; il a souri, en a extrait une demi-douzaine de petits chevaux, qu'il a soigneusement emballés dans le linge à vaisselle qui traînait sur le four, comme s'il roulait un *egg roll*; une fois à genoux devant moi, il a glissé sa belle grosse main rugueuse sous ma plante de pied pour lui faire un appui et coincer mon orteil meurtri entre sa peau et le tissu gelé. Contrairement aux maisons qu'il bricolait, je pouvais ressentir sa fabuleuse force tranquille, la douceur de ses gestes, la chaleur de son corps. Mon cœur affolé, vitesse petit jogging, pulsait dans mon pied. Ce n'était pas la première fois qu'il s'agenouillait devant moi, pour me secourir, mais je n'avais plus rien à voir avec la femme en loques qu'il avait autrefois ramassée à la petite cuillère. Autrefois, jadis, il y a belle lurette. Ça me semblait si loin.

Et nous avons aussi déjeuné.

■

— Donne-moi une cigarette.

— Pourquoi ?

— Devine ! Pour la fumer ! Je t'attends dehors. Pis du feu.

Dans le coude de la ruelle, une soupe de feuilles et d'emballages souillés tourbillonnait en typhon silencieux, comme dans une ouverture de film post-apocalyptique. Les ostimans refaisaient le monde comme d'habitude, une bière à la fois. Ils ne construiraient peut-être pas d'empire, ce faisant, mais ils en auraient amplement discuté.

Claudine avait passé son manteau sur sa robe de chambre. D'un chic fou.

— Calvâsse, y fait ben frette ! Tiens, ta *smoke*.

— Merci.

Je l'ai allumée, en ai tiré une grande *pof* que j'ai forcée à descendre jusqu'à mes poumons.

— OK, non. C'est toujours aussi dégueulasse. Je la jette ou tu la veux ?

Elle me l'a prise des mains pour mieux la pichnotter en bas, dans le tas de feuilles, tant pis les vignobles, en me lançant des regards pleins de questions par en dessous. J'étais beaucoup trop heureuse pour avoir la nausée.

— Enweille, raconte.

— J'ai failli descendre t'étriper quand j'ai compris que tu y avais écrit.

— Tu faisais rien, pas le choix. Pis, y est-tu cochon ? Me semble qu'y doit être cochon...

— Juste ce qu'y faut.

— WAAA ! T'AS BAISÉ POUR VRAI !

Les ostimans ont levé la tête, moi le pouce, et l'hydre à trois têtes a replongé sous le capot de la voiture. Avec des gars comme ça qui veillent au grain, ce serait difficile de nous assassiner.

— *Oh my God!* Avec des mains de même, t'as dû capoter...

— Énormes, les mains. Fort comme un bœuf, le gars.

— Arrête ! Vous avez baisé toute la journée ?

— Non.

— Comment ça, non ? T'es devenue irritée ?

— Non.

— Y est devenu irrité ?

— Nooon !

— Je demande de même...

— On a eu faim.

— Ah ! C'était pour ça, les cretons !

— Dans le mille.

— Pis ça remet de la mine dans le crayon, les cretons ?

— Vive les cretons.

J'achevais un demi-siècle de vie sans jamais avoir réussi à utiliser le verbe « exulter » en parlant de mon corps, ce qui ne faisait pas de Guy un amant exceptionnel, ni de Jacques un piètre baiseur ; j'avais connu trop peu d'hommes pour me prononcer sur les compétences de l'un ou de l'autre, et peut-être même sur le sexe en général, et j'étais consciente que les circonstances magnifiaient ce que je venais de vivre et donnaient à la scène des airs de résurrection. J'avais connu de belles années avec Jacques, je ne le nierais jamais. Notre séparation cahoteuse n'en avait pas complètement empoisonné le souvenir. Mais dans le moment, mes dispositions mentales et physiques avaient transformé ces heures de connexion charnelle avec Guy en quelque chose qui frôlait l'extase. Qui sait si la chimie des corps n'avait pas transmué toute la rage que je ressentais depuis ma séparation, et que j'essayais de gérer à coups de masse, en molécules d'euphorie. Et pour le savoir désormais éphémère, je n'allais pas bouder mon plaisir. Je me suis laissée porter par cette découverte fabuleuse : faire l'amour, c'est comme le bicycle, une fois lancé, ça roule tout seul.

— Y te disait-tu des affaires ?

— T'es vraiment obsédée ! Comme quoi, des affaires ?

— Des cochonneries.

— Mais non !

— Des affaires *cutes*, d'abord ?

— Ben non, c'est pas un jaseux, on… on s'embrassait, on… c'est ça. On faisait des affaires normales.

— NORMALES !

— Chut !

— Bon bon bon, laisse faire… En passant, y a un autre cinq à sept cette semaine.

— Pas encore à l'Igloo ?

— Ben oui, y a pas cinquante choix de bars pour les vieilles croûtes comme nous autres.

— J'ai pas rapport là, j'suis même pus au bureau.

— T'as travaillé là assez longtemps, t'as un droit à vie.

— Ji-Pi ?

— J'essaie de le convaincre de venir.

— Toujours aussi marié ?

— Oui. Mais toujours aussi le *fun* à regarder.

Elle a laissé couler un long soupir. Je la savais revenue dans mon histoire.

— J'avais l'impression d'être petite. Je pense que mes fesses rentrent dans ses mains.

— Sérieux ? Y te tenait par les fesses ?

— À pleines mains, mes petites fesses. C'est ma nouvelle identité érotique : tout nue.

Je ne lui ai pas parlé de Sophie, elle l'aurait détestée. J'avais besoin, moi, de lui pardonner un peu.

En fin de soirée, Charlotte et Dominic sont venus me livrer mon nouveau pensionnaire. Je l'avais presque oublié. Comme j'ai coutume de nommer les animaux en utilisant les premiers mots qui me viennent à l'esprit, celui-là a hérité de Prémâché.

— On dirait qu'y a été mâché pis recraché. Ç'a pas de bon sens, être magané de même !

— Y a passé sa vie à se battre. D'ailleurs, laisse-le pas sortir, y est presque aveugle.

Il s'est dirigé vers le divan où somnolait Chat de Poche, indifférent à nous comme à la nouvelle bête qui se cherchait un coin tranquille pour faire son dernier tour de piste – sa banque de vies devait être épuisée. Dès le lendemain, quand ils ont eu compris qu'il y avait suffisamment de place et de bouffe pour tout le monde, ils se sont mis à dormir côte à côte, les plaies collées, comme deux vieilles âmes qui se seraient trouvées. Dans leur jeunesse, ils se seraient égorgés, là, ils se réjouissaient d'avoir à tout partager. Même leur mort, raisonnablement prévisible.

■

Deux semaines plus tard, Madeleine obtenait une place dans un foyer pour personnes âgées semi-autonomes. Ses quatre-vingt-treize tomates et sa santé chancelante lui avaient permis d'obtenir une cote prioritaire. Et l'idée de manger un repas chaud tous les jours l'avait totalement séduite, même si ça impliquait de passer le flambeau pour les chats. L'histoire de l'adoption des deux vieux lui laissait croire que tout irait bien pour les autres. Je l'ai confiée à Stéphane, mon agent d'immeubles pas agent pour deux sous, doux et réconfortant comme un châle en cachemire. Il avait organisé et entièrement géré le cirque habituel de la surenchère de contracteurs qui rêvaient de passer la baraque au bulldozer et de faire pousser sur le carré de terre libéré une belle empilade de condos trop chers. Évidemment beaucoup trop chers pour Madeleine.

13

Où je découvre deux choses importantes.

La secrétaire se débattait au téléphone avec un parent coriace quand je suis entrée dans le bureau. Elle a posé sa main sur le micro et soufflé la mèche rose qui s'entêtait à lui barrer les yeux.

— Assis-toi, c'est la directrice qui veut te voir.

— Pourquoi ?

— Sais pas. Madame… oui madame… non madame… tous les groupes vont dehors sans exception… mais non, pas quand y pleut à siaux, on est pas complètement imbéciles… si c'est mouillé dehors ? Ben oui, on sort pareil, c'est l'automne, on peut pas attendre que ce soit sec… écoutez… non, y a pas de dérogation possible, c'est tout le monde dehors… madame, c'est encore plus important quand 'sont petits… ben oui, c'est salissant, c'est pour ça qu'on a des laveuses… non, à va vous dire la même chose que moi, la directrice, en moins gentil peut-être… Ben oui, appelez-la, la commission scolaire, pas de trouble, gâtez-vous… vous devriez appeler directement au bureau du ministre… hum hum… *La Presse* ? Enweillez donc, la belle histoire que ça va faire... Mon nom? Lucie Berthiaume. Ben c'est ça!

Shlack! Et quelques sacres murmurés, aux coins sablés.

— Non mais allô! Tu parles d'une sans-génie! À veut que l'école y retourne son enfant aussi propre que quand y est arrivé! À veut-tu qu'on y retourne aussi niaiseux, un coup partie? M'en vas y en faire un moi, aussi propre... Non mais faut-tu être déconnectée!

— À t'a pas dit pourquoi à voulait me rencontrer, la directrice?

— J'avais un parent au téléphone, le livreur de savon à mains qui voulait une signature, deux enfants ici, un malade pis un perdu, un vrai perdu à part ça, peux-tu croire ça? L'enfant était pas dans 'bonne école! Le *chum* de sa mère s'était trompé en venant le porter! Ça devait être un nouveau *chum*, autrement... Le bonhomme l'a laissé à 'porte en y disant « Vas-y mon gars, bonne journée », pis le petit a rien vu, y a jamais compris qu'y était pas à 'bonne place, un petit de la maternelle, cinq ans, tout innocent, pas vite-vite, y tournait en rond en avant, c'est le concierge qui l'a trouvé après la cloche, une chance qu'y était là, j'étais dans le jus avec l'admission d'une nouvelle famille, trois enfants, en plein mois de novembre, on choisit pas toujours, je le sais, fait que non, à m'a pas dit ce qu'à te voulait.

— OK.

— Mais t'as déjà eu ton évaluation?

Avec le temps, j'avais compris que Lucie était aussi étourdissante qu'efficace. Ceci rachetait cela. Elle fonctionnait sans filtre, tout était du pur jus avec elle. Son petit yogourt brassé se réchauffait sur le bureau.

— Oui, la semaine passée.

— Pis ?

— À m'a dit qu'à me clonerait si à pouvait.

— Ben dors tranquille, à veut peut-être juste te donner une augmentation.

— Ha !

Charlotte avait bien raison, je n'avais pas mis de temps à le comprendre une fois sur le terrain, l'école rime avec tout un tas de beaux mots très nobles que la Machine s'efforce de faire reluire pour mieux garder dans l'ombre les mots « salaires » et « paies » qu'on juge si indécents quand ils sortent de la bouche de celles – trop peu de « ceux » pour mériter l'accord – de qui on attend qu'elles se donnent sans compter.

La directrice m'a fait signe du bout du doigt, avec une espèce de clin d'œil complice qui me laissait penser, déjà, que je ne me ferais peut-être pas chicaner.

— Assis-toi, Diane.

Elle s'est laissée tomber à côté de moi, sur la chaise du deuxième parent. Ça lui aurait pris un smoothie au chou vert plein de chia et de graines chères super protéinées, des câbles à *booster* et une semaine de vacances loin loin dans un pays exotique encore inexploré et sans moustiques malarieux. Elle n'essayait même plus de cacher les grands cernes mauves qui lui ballounaient le dessous des yeux, qu'elle avait bien saignants.

— Manges-tu ce que t'aimes le moins dans ton assiette en premier, d'habitude ?

— Comme les choux de Bruxelles ?

— Hum hum.

— Avant, oui. Depuis que je vis toute seule, je mets juste des affaires que j'aime dans mon assiette.

— Si je pouvais faire ça avec l'école… Bon. J'ai reçu une plainte.

— Une plainte ?

— Contre toi.

— Contre moi ? De qui ?

— De quelqu'un de très courageux qui a signé « Anonyme ».

— On me reproche quoi ?

— C'était écrit « comportement inapproprié devant les enfants ».

— Inapproprié ? Moi ?

— Des « rapprochements intimes étalés au grand jour avec un autre employé de l'établissement ».

J'ai inspiré d'un coup tout ce qu'il y avait d'air dans le bureau et planté mes ongles dans ma sacoche. Depuis notre déjeuner historique, on se grisait, Guy et moi, du plaisir de se croiser, par des inadvertances forcées, de se toucher la main accidentellement, de se désirer des yeux, de se murmurer des mots doux à deviner sur les lèvres, de loin. Et même, une fois, de se *frencher* dans un angle que nous avions cru mort, goulûment, comme des ados qui voudraient s'avaler.

— J'imagine que tu sais de quoi on parle ?

— C'est parce que je…

— Étant donné que je me doute un peu pas mal beaucoup de qui ça vient…

— … mais je pensais pas…

— … et que cette personne-là brûle l'essentiel de ses neurones à mettre la chicane – ç'a pas toujours été le cas, mais vieillir va pas bien à tout le monde –, on va dire que l'affaire est classée. Un peu de discrétion pis tout devrait rentrer dans l'ordre, non ? De toute façon, la plainte est pas venue d'un élève ou d'un parent, ça fera pas de remous.

— Je… OK, merci. J'imagine que tu peux pas me dire le nom…

— Non, mais Kathleen par ailleurs est revenue à la charge avec la satanée courroie trop longue.

— Mais ça, c'est ridicule…

— Je vais envoyer un mémo dans l'intranet pour dire qu'on l'accepte officiellement, elle pis toutes celles que les parents jugeront bon de nous faire parvenir. On va annoncer la bonne nouvelle à tout le monde dans le prochain *Infos Parents*. On a pas assez de bonnes nouvelles pour se permettre de bouder celle-là. Ça va peut-être inspirer d'autres parents, j'ai un beau placard à balais à transformer en bibliothèque au deuxième étage. Mais je voulais surtout te voir pour te faire une offre.

— Ah oui ?

— J'ai deux classes orphelines qui roulent sur de la suppléance depuis le début de l'année, j'ai un congé de maladie qui s'en vient en cinquième – je peux pas t'en dire plus là-dessus –, les banques de candidats sont vides, on a besoin de suppléants comme t'as pas idée, je te le cacherai pas, on prend à peu près n'importe qui avec un diplôme en quelque chose pis un peu d'allure.

— Merci.

— Tu comprends ce que je veux dire.

— J'ai pas fini mon bac.

— Pour de la suppléance, on peut s'arranger. Pis t'avais l'intention de finir tes cours, de toute façon.

— Pas vraiment.

— Ben oui… Y me faut quelqu'un pour ma première année C, j'ai des parents sur le bord de la crise de nerfs, pis je les comprends, les petits sont tout mêlés, ça fait quatre suppléants qui défilent depuis le début de l'année, pis celle qui est là en ce moment est débarquée en braillant dans mon bureau hier.

— En première année?

— Y a un petit qui l'a traitée de «grosse vache sale».

— *Iish*!

— Exactement, *ish*.

— Y répètent ce qu'y entendent, les petits.

— C'est ça le pire, parce qu'y va falloir les rencontrer, les parents, pis faire un plan d'intervention, vu que c'est pas la première fois que ça arrive, mais ça servira pas à grand-chose, vu que la psychopédagogue est plus *bookée* que Madonna.

— Mais tu parles de suppléance…

— De la suppléance, c'est comme de la tire Sainte-Catherine, ça s'étire.

— Je peux pas.

— Quelques semaines.

— Je serai pas capable.

— Quelques jours. Je peux m'arranger plus facilement pour te remplacer au service de garde.

— Je connais pas les manuels, les méthodes…

— Fabienne va te *coacher*. C'est la titulaire de la 1 B, une vraie sainte. Tu l'as rencontrée?

— J'ai pas la patience pour ça.

— T'en as eu, des enfants, Diane.

— Justement, j'suis usée. Pis j'en avais trois en même temps, pas vingt-cinq.

— Vingt.

— C'est pareil.

— T'as pas à les torcher pis à les nourrir. Presque pas.

— J'suis un peu vieille pour me lancer dans une affaire de même.

— Ben voyons, trop vieille, t'as quel âge, Diane ?

Elle a plissé les yeux – mi-cinquantaine pour elle. J'ai eu envie de me vieillir un peu, pour mieux pouvoir me défiler, mais je me suis rappelée qu'elle avait accès à mon dossier personnel.

— Fin quarantaine.

— La quarantaine, Diane, c'est jeune !

— C'est très relatif, ça.

— OK, écoute : j'ai demandé à la suppléante de finir la semaine pis à ma mère d'allumer des lampions à l'église. Ça te donne une idée de l'étendue de mon désespoir. Penses-y s'il te plaît.

— Je peux pas laisser mes petits de la maternelle de même.

— Tu changes pas d'école.

— Mais je les verrai pus !

— Moins.

— Y sont tellement fragiles…

— Madame Sophie est solide, ça compense.

— Y a ça. Sauf que la vie, des fois…

— On peut pas perdre madame Sophie.

— Je sais.

— Pense au *cash*.

— Au *cash* ?

— C'est une blague.

Je suis sortie de là complètement sonnée. Remplir, contrôler, éduquer vingt petites têtes neuves toute la journée durant, tous les jours, me semblait dans l'instant une tâche impossible, herculéenne. Plus terrorisante encore m'apparaissait la quarantaine – jusqu'à quatre-vingt personnes, si familles recomposées – de parents assoiffés de comptes rendus et de bulletins détaillés avec qui j'aurais à tout négocier, à en croire les plaintes répétées, bien qu'à peine murmurées, de madame Sophie. Je l'avais moi-même constaté sur le terrain, un certain nombre de parents, à la faveur d'un séisme générationnel qui m'avait totalement échappé, semblaient avoir changé de camp (le papa d'Éléonore n'en faisait pas partie). D'alliés naturels qu'ils avaient été, certains d'entre eux s'étaient transformés en parfaits ennemis. Ma réflexion ne s'éterniserait pas.

Devant Lucie, sur une petite chaise de plastique, les bras croisés sur le ventre, Célyane jouait les souffrantes. Le col de sa robe était à moitié replié vers l'intérieur.

— Qu'est-ce que tu fais là, Célyane ?

— J'ai mal au ventre.

— Encore ? Montre-moi où.

— Partout.

— Partout partout ?

— Voui.

— Comme hier ?

— Plus.

— OK.

Lucie a soulevé les épaules.

— J'ai essayé d'appeler sa mère, mais à répond pas. À retontit ici trois fois par semaine avec des maux de ventre, c'te pauvre enfant, à doit avoir quèque chose de chronique sartain !

— Oui, je pense que c'est un truc assez répandu, mais pas contagieux : b-e-s-o-i-n-d-a-t-t-e-n-t-i-o-n.

Célyane n'avait pas le génie de Devan, elle ne savait pas encore lire. C'était même l'une des seules qui ne parvenait pas encore à écrire son nom, même tout croche. Le « y » n'arrangeait rien.

— Oh ! Je vois.

— C'est lequel ton jeu préféré dans la grosse boîte qu'on vient d'avoir en cadeau, Célyane ?

— Eee… le Playmobil de mariage.

— Ah oui ? Pourquoi ?

— Y a le gâteau. Pis les bébés assiettes.

— T'es capable de mettre les petits morceaux ensemble pour faire le gros gâteau ?

— Ouiii ! Pis je mets les cadeaux dessus !

— T'aimes ça, les cadeaux ?

— Ouiii !

Elle avait lâché son ventre pour placer ses petites mains en prière.

— Qu'est-ce que tu vas demander au Père Noël cette année ?

— Un Playmobil de mariage.

— Mais y en a déjà un ici !

— Non, c'est Lucas qui le prend toujours. Y le met dans son camion de poubelle.

— Qu'est-ce qu'y met dans le camion de poubelle ?

— Toute !

— Les mariés aussi ?

— Le gâteau, aussi…

Elle se tordait les doigts en faisant des rouleaux. Même si la majorité des mariages aboutissaient là, elle n'était pas obligée de l'apprendre. L'innocence pouvait encore durer un moment.

— Tantôt, ça va être ton tour, on va organiser un système de rotation. Pis je vais jouer avec toi un petit peu…

— Avec le Playmobil de mariage ?

— … oui, si les amis se chicanent pas trop, OK ?

— Ouiii !

— On fait Tip-tip téo ?

Elle s'est levée d'un bond, les bras en parallèle, coudes pliés, une paume tournée vers le ciel, l'autre vers le sol. Mon cerveau, même s'il n'était plus aussi spongieux que dans ma prime jeunesse, avait tout de même réussi à apprendre quelques jeux de mains aux sonorités étranges. Finis, les *Michel je t'abandonne* et les petites histoires aux fins mignonnes. Maintenant, les mots se désarticulaient en syllabes qui rebondissaient d'une langue à l'autre jusqu'à devenir des mantras incohérents. Les gestes qui les accompagnaient étaient tout aussi incongrus.

— Tip-tip téo, oulaoula miam miam, flic flic, fléo, chica-chica lam lam, pouet pouet kélo, ousta-ousta pam pam ! Bélélé bou, bélélé ba… stop !

Je n'ai même pas eu besoin de la laisser gagner, elle a attrapé mon pouce bien avant que j'arrive à pincer le sien. Mes réflexes diminuaient avec la dégradation de mes articulations.

— Ça va mieux, le bedon?

— Eee…

— Je pense que oui. Viens, je te ramène chez madame Sophie.

— Non, c'est dans le gymnase.

— Ah! le gymnase, je vois…

Besoin d'attention ou allergie à l'éducation physique, rien de clair encore.

■

J'avais accepté d'aller souper avec Jacques. Claudine m'aurait étripée, je ne lui ai rien dit. J'avais même profité d'un nouveau cinq à sept à l'Igloo – «Je vois Guy, je pourrai pas y aller.» – pour pouvoir sortir de chez moi habillée chic sans m'attirer mille et une questions. À force de petits mots doux, d'invitations charmantes enrobées d'humour fin (j'en avais même reçu une écrite à la main sur une espèce de papyrus) et de relances soutenues pleines d'une tendresse à moitié voilée, il m'avait eue à l'usure; la fragilité de ma résistance m'avait un peu déçue, sans m'étonner. Charlotte, à qui je m'étais ouverte, trouvait qu'en arriver à des rapports cordiaux après deux ans de séparation était une preuve de sagesse qui ne concédait rien sur le reste. Surtout que maintenant, Guy. Choisir son conseiller est toujours une façon de choisir ce qu'on veut entendre.

J'aurais aimé dire que j'y allais pour qu'il me laisse tranquille, acheter la paix, lui montrer que j'étais rendue ailleurs, même si je ne lui pardonnerais jamais tout à fait, mais c'était beaucoup plus tordu et compliqué que ça:

j'étais curieuse de voir où il en était exactement dans son état de confusion, jusqu'où il irait pour me regagner, si c'était dans ses cartes, et j'avais malgré moi envie qu'il me déballe son grand jeu, qu'il se mette à nu, qu'il rampe, se déchire un peu les entrailles. Le pire de tout, c'est que je n'étais absolument pas convaincue de pouvoir lui résister, s'il tentait de me reconquérir avec un tant soit peu d'acharnement. Lamentable état de fait que devinerait sûrement Claudine et qui me forçait à lui mentir.

Le restaurant où il m'avait donné rendez-vous, dans le Vieux-Port, ressemblait beaucoup à notre préféré de l'époque. Les yeux bandés, je m'y serais crue, tant l'atmosphère, la musique, les effluves rappelaient les caves du Saint-Georges. Je me suis ressaisie en frappant le comptoir de mes gants de cuir neufs, aussi orange que mes cheveux étaient restés blancs. Quand la vendeuse m'avait proposé un manteau *charcoal* pour estomper la fantaisie de mes gants, choisis en premier, j'avais opté pour le vert pomme, histoire de la contrarier. J'étais maintenant forcée d'assumer mon excentricité. J'avais toujours secrètement aimé le mot sans parvenir à m'y abandonner ; c'était maintenant chose faite.

— Désolé, madame, de vous avoir fait patienter.

— Aucun problème, monsieur. Je viens rejoindre quelqu'un.

— Oui, madame Delaunais, on vous attendait.

— Oh !

Il a souri timidement avant de baisser la tête. Jacques : les bons contacts, les amitiés stratégiques, l'argent, les restaurants et les clubs privés où on entre comme chez soi. Une partie des affaires se réglaient en ripaillant aux frais de la boîte, sous le regard bienveillant de serveurs professionnellement discrets.

— Je vais prendre votre manteau.

— Je préfère le garder, merci.

— Vous pouvez me suivre, madame.

On aurait dit que du miel chaud dégoulinait des lustres. Un foyer au gaz trônait au centre de la pièce, vitré sur quatre faces, sans pattes, suspendu dans les airs, complètement surréel. La main câline de l'air s'est glissée sous ma jupe, chassant le froid qui s'accrochait aux mailles de mes bas délicats, tout exprès choisis pour attirer les regards. Le vin chatoyait dans les verres, les bouches se fermaient avec classe sur des pétoncles gigantesques, tirés de la mer quelques heures plus tôt et traînés de force jusqu'ici par la course combinée d'un bateau, d'un avion et de quelques camions réfrigérés. La fraîcheur n'a pas de prix pour certains, que la planète aille se faire voir ailleurs. Jacques s'est penché pour ramasser quelque chose qui venait de tomber, la serveuse l'a remercié obséquieusement, avec rond de pied et révérence auxquels il a ajouté quelques mots d'esprit, en faisant jouer les mèches de sa crinière drue et déployant ses jolies pattes d'oies, ses dents d'homme d'affaires épanoui. Sa main de parfait gentleman a fait une vrille pour accompagner ce qu'il disait, ce qui semblait beaucoup amuser la jolie serveuse. À sa gauche, le mince cou noir d'une bouteille reposait sur la paroi d'un seau à glace maintenu en porte-à-faux sur la table par un système ingénieux de broches sculptées. Ce devait être des bulles très fines, légèrement minérales, un nectar fin et audacieux, caressant. Jacques était beau, serait adorable, sentirait bon, se montrerait raffiné, spirituel, intelligent, amusant. Une soie. Ou un savon glissant, c'est selon. Peu de temps après notre séparation, je me serais désespérément lancée sur la chaise qui m'attendait, j'aurais bu chacun de ses mots mêlés à mes larmes, accepté n'importe quelle excuse, renchéri sur ma détestable platitude, fait des promesses insensées, accueilli une nouvelle bague avec un émoi sincère, entièrement renouvelé. Mais la douleur de la trahison m'avait tuée à petit feu en essaimant dans mes chairs et ma tête un poison insidieux qui avait fait fondre les canaux au passage, un à un ; pas de retour possible, je ne le comprenais que maintenant, devant cet homme trop aimé et qui avait fait couler le bateau. Toute la sincérité du monde n'y ferait pas, je ne pourrais plus jamais le croire, mon bel ingénieur, ni lui faire confiance, et sa fortune ne lui servirait qu'à sombrer à mes yeux encore plus profondément.

J'ai posé mes petites fesses sur la chaise qu'on avait retirée et repoussée en épousant le mouvement de mon bassin, tout occupé qu'on était à s'assurer que je ne fournisse aucun effort. Quand Jacques m'avait annoncé qu'il était amoureux de Quelqu'un d'autre, je m'étais vue tomber en m'assoyant dans le vide, surprise par le retrait soudain de la chaise que j'avais cru dédiée à mon arrière-train pour toujours.

— T'es magnifique.

Le sommelier s'est empressé de venir ouvrir la bouteille et de nous verser, dans des verres de cristal aux ciselures compliquées, le précieux champagne beige jaune, blé souriant. Je lui ai fait signe de continuer à verser en lui montrant, du bout de mon ongle cutexé grenat pour l'occasion, que je le voulais aux trois quarts plein, *a contrario* de tout ce qu'il avait appris dans ses cours. Mais comme la cliente est reine, il n'a pas rechigné à servir la grosse pas-de-classe qu'il devait s'imaginer que j'étais. J'avais appris à me contre-torcher de ce qui n'avait aucune importance depuis quelque temps, et je m'en contre-torchais extra-fabuleusement.

— Merci, c'est gentil.

On a fait tinter nos verres, j'ai souri, bu une petite gorgée, fait un petit *hum* de contentement et me suis levée. Le pan pomme de mon manteau de folle – c'est ce qu'on allait dire plus tard, forcément – s'est rabattu sur ma cuisse en suivant le mouvement de mon pivot. J'étais beaucoup trop magnifique pour rester là – mon ancienne psy aurait trépigné. J'ai marché sans me retourner, ni quand Jacques m'a appelée ni quand le serveur m'a gentiment apostrophée pour me dire que je ne pouvais pas sortir du restaurant avec mon verre.

— Appelez la police, câlice !

J'adore les rimes.

Sur le quai, les gens fronçaient les sourcils ou me dévisageaient avec envie. Qui n'aime pas les bulles ? Une dame âgée, fort probablement descendue du bateau de croisière amarré là, gros comme une ville, m'a demandé où se trouvait le comptoir à vin.

— *Nowhere, I'm sorry. That's the last last* gorgées *of my marriage.*

Elle m'a regardée un moment sans rien dire, le temps que les mots forment du sens, j'imagine, et que son cerveau gère le mot « gorgées ».

— *Oh ! A complicated story ?*

— *No ! Just a boring story, full* top clichée.

Puis, elle a posé sa main fripée sur mon bras en fermant les yeux.

— *Drink, sweetie, drink. You are so young and beautiful. Men are always thirsty.*

Elle est allée rejoindre un homme bedonnant qui somnolait sur un banc, les bras croisés, malgré le froid, le bruit, l'incessant passage des piétons. Il n'a même pas sursauté quand elle lui a flanqué une petite tape bien sentie sur l'épaule. L'habitude, j'imagine. J'ai eu envie d'écrire à mes enfants pour leur dire que je venais d'avoir une conversation en anglais.

J'ai marché un peu plus loin, le temps de finir mon verre, et l'ai lancé de toutes mes forces dans le fleuve. Il a dû descendre en suivant le courant, frapper des algues, des bouts de bois, de cochonneries en suspension avant de finir sa course sur un fond boueux. Il servirait peut-être de refuge à un petit poisson perdu, apeuré.

J'ai texté Claudine.

Toujours à l'Igloo ?

Tu viens ???
Fabio est là !!

Y est là pour vrai ?

Viens-t'en, j'accroche
Hugo : un Negroni ?

Non, un gin Saint-
Laurent, tonic. Pas de
maudits concombres, s'il
te plaît.

C'est parti !

La même nymphette à moitié nue que la dernière fois m'a fait son petit laïus sur les cocktails et les cellulaires en me montrant la verrière pleine de vieux venus juste pour un verre. Ou deux ou trois ou quatre. Sa robe en espèce de cellophane givrée était si ajustée que, chose que j'aurais crue impensable, un mince bourrelet de chair débordait sous son bras. Ce qui a eu l'heur de stimuler en moi la gentillesse.

— C'est joli, ta robe.

— Marci.

La deuxième chose importante, je l'ai comprise en voyant Ji-Pi, une coche plus beau que d'habitude, comme si c'était possible, en arrière-plan du verre que me tendait Claudine. Une chose que quatre gin-tonics ont doucement distillée pendant la soirée jusqu'à la rendre parfaitement claire.

À la fin de la soirée, Claudine m'a offert mon cadeau de fête en roulant des yeux vaseux.

— Je nous ai réservé un écœurant de beau petit chalet *cosy* avec un foyer pis du bois à volonté, des cordes pis des cordes, tout équipé, des divans mous, des étoiles dans le ciel, des animaux dans le bois, pis si on est fines fines, fines, fines, fines, une aurore boréale au-dessus de nos têtes. Y en a pas souvent, mais on en mériterait une. Juste toi, Bibi pis une grosse caisse de belles bouteilles qui finissent en « i »: saint-bris, chablis, pinot gris… Je sais! La règle de trois… c'est une petite caisse de six. Je m'occupe de toute, de la bouffe pis du reste. T'embarques dans le char, tu choisis la musique, pis c'est toute. Juste avant Nouel. On sacre notre camp. Laisse faire le magasinage, on donnera de l'argent dans des enveloppes cette année. Qu'est-ce que t'en dis?

J'aime vraiment cette fille.

Mes cinquante balais sont passés deux jours plus tard comme une lettre à la poste. Je n'ai rien senti. Sauf les mains chaudes de Guy sur ma peau. Sur le pas de ma porte, le matin même, vingt-quatre roses blanches envoyées par Jacques – entendre « la secrétaire du bureau ». Il était peut-être plus entêté que je ne le croyais. Je suis allée les porter au foyer de Madeleine à la fin de la journée où j'ai constaté, avec bonheur, qu'elle avait engraissé.

14

Où tout le monde sacre son camp.

Rosanne rentrait chez elle. Ses jambes allaient mieux, elle aurait de l'aide de ses voisines et de sa cousine Hortense, tout irait rondement. Ça sentait quand même les funérailles quand on a rempli l'auto. On avait eu beau lui montrer sur Internet que la SAQ de son village tenait des belles quantités de rose en inventaire, elle ne nous avait pas crues; on lui en avait fait préparer trois caisses.

— Tes voisines auraient pu s'occuper de la maison.

— Ben non, ç'a besoin d'amour à temps plein, l'hiver, une maison. Déjà que les clous pètent au frette à rien, j'aime mieux être là pour chauffer. Pis je peux pas rester chez vous éternellement.

— Le temps d'être complètement rétablie, au moins.

— Ben voyons, pauvre enfant, rétablie, j'suis comme un vieux char qui s'en va à *'scrap*.

— On change les pièces dans ce temps-là.

— Qu'y les gardent pour les jeunes, les *spares*, mon compteur est pété.

Et pendant que Claudine remontait chez elle pour un autre voyage de bagages, Rosanne m'a dit tout bas.

— Pis y a rien pour faire fuir un homme comme une belle-mère dans les parages. Je vois jamais de prétendants icitte, c'est pas normal.

— À prend son temps.

— Ben voyons ! Ça fait combien d'années, Philippe ?

— Ça fait longtemps, j'suis d'accord.

— Y a de quoi qui tourne pas rond sartain.

Ou trop rond, si on en croit les standards de notre époque. Avec trente livres de moins, Claudine aurait été une pièce de choix ; à moins cinquante, un pétard. L'amour irrationnel pour les paquets d'os aux yeux creux m'a toujours sidérée. L'espérance de vie amoureuse des minces est nettement supérieure à celle des bien enchairées. Si le débarquement des Filles du Roi avait eu lieu au XXIe siècle, on serait restées ensemble sur le quai, à poireauter jusqu'à la prochaine épidémie de scorbut. Claudine est même convaincue qu'une toutoune intelligente n'a aucune chance contre une mince insignifiante. J'aimerais croire qu'elle a tort.

Adèle est arrivée au même moment pour la grande accolade et les petites douceurs.

— Ma petite gériboire, toi, fais pas damner ta mère !

— Je fais rien pis à me tombe dessus !

— Justement, fais pas rien, grouille-toi le derrière un 'tit peu. Pis venez me voir de temps en temps dans mon trou perdu.

— Pis toi, déboule pas les marches. Pis meurs pas.

— Je peux pas te faire des promesses de même.

La voix de Rosanne s'est presque cassée. C'était une femme gaufrette, au fond, croustillante dehors, tendre dedans. J'espérais pour elles toutes que les pièces tiennent le coup encore un bout de temps.

Une fois la Honda partie, je suis restée seule avec Adèle, qui a poussé un grand soupir pour entamer la conversation.

— Tu l'as pris où, coudonc, l'écusson ? J'en cherche partout.

— Pourquoi ?

— Pour du monde à l'école. C'est comme genre la mode de mettre des *patchs* quétaines sur ses affaires. Le mien fesse.

— Tu vas rire. Je l'ai pris à l'hôpital, au dépanneur où y vendent des fleurs, des bas…

— Tu peux-tu commander en ligne ?

— Je pense pas, la boutique est tenue par des bénévoles de l'âge de ta grand-mère qui gèrent ça comme y peuvent, avec de l'argent comptant pis des factures à 'mitaine.

— Ouin, les mémés pis l'informatique…

— Appelle-les pas comme ça, c'est pas gentil.

— Ça veut juste dire grand-mère…

— Mais non, c'est négatif, mémé.

— Pour toi.

— Non, pour tout le monde ! Ouvre le dictionnaire !

— Sauf moi.

— Maudit que t'es gossante, quand tu veux.

— Gossante ? C'est pas gentil, ça, y a le mot « gosses » dedans…

— Je comprends tellement ta mère, des fois.

— Normal, t'es un peu comme ma mère, non ?

Elle m'a regardée de côté et se mordant le coin de la lèvre, comme si elle attendait que j'argumente. Je lui ai fait un clin-d'œil-bisou volant. J'aime Adèle, c'est plus fort que moi.

■

Lundi matin, six heures douze, la directrice m'appelait pour la huitième fois. J'ai fini par avoir pitié.

— Bon matin Lady !

La blague avait fait le tour avant de s'installer à demeure. C'était ma toute dernière et seule chance d'être princesse, pourquoi pas ?

— Je reste avec mes petits au service de garde. On verra l'année prochaine si la situation est la même…

— Sophie rentrera pas pendant un petit bout.

— Oh non ! Merde !

— Exactement, merde.

— C'était elle, ton congé qui s'en venait ?

— Pas pantoute.

— À va bien ?

— Aussi bien qu'on peut aller quand on a besoin d'un congé d'une semaine.

— C'est pas un accident ou quelque chose de… physique ?

— J'suis pas supposée parler de ça avec toi. Mais non, ça semble d'un autre ordre.

— OK, merci.

— Bon, mon autre problème, c'est que la nouvelle suppléante en première est partie, elle aussi.

— Ben voyons !

— Hier, j'suis allée au foyer où j'ai été forcée de placer ma mère.

Les manifestations de l'épuisement et de la folie se ressemblent beaucoup, l'incohérence est l'une d'elles.

— Désolée.

— Le préposé qui s'occupait d'elle en était à sa onzième journée d'affilée de travail, à son cinquième seize heures de suite. Y venait de se faire engueuler parce qu'y voulait pas rentrer le lendemain. Y m'a dit qu'y pensait démissionner, y avait l'air d'un zombie.

— *Ish*...

— Quand j'ai voulu aller au Burger King en revenant chez nous, vu que j'ai pas eu le temps de me faire d'épicerie depuis un bon bout de temps, ni de beaucoup dormir, tout était noir, mort. C'était écrit « Fermé pour le reste de la journée, manque de *staff.* » sur la porte. Y avait une enveloppe jaune collée en dessous: « C.V. ici. »

— Je sais, c'est l'enfer...

— J'ai l'impression de vivre dans un film post-apocalyptique où tout le monde est parti sur une autre planète, sauf moi, comme si j'avais oublié d'embarquer quand c'était le temps. Y reste des enfants pis des vieux partout, mais y a personne pour s'en occuper.

— Pis du monde qui veut manger du *fast food*.

— C'est ceux qui sont trop occupés avec les enfants pis les vieux qui veulent du *fast food*.

— En effet. Pis tu voudrais que je fasse quoi?

— De la suppléance jusqu'à Noël. Y reste juste quèques jours.

— La commission scolaire va accepter ça?

— La commission scolaire a lancé un appel sur Facebook en fin de semaine pour trouver des profs pis des suppléants. Y espèrent que ça va intéresser des Français, mais y engageraient des extraterrestres, si y en venait.

■

Quand j'ai expliqué aux petits que madame Sophie serait absente pour quelques jours – j'ai fait bouger les doigts de ma main pour que leur imagination s'en tienne en deçà de cinq –, Devan a donné un coup de pied dans la poubelle, Éléonore s'est mise à pleurer et Julia a laissé tomber toutes ses cartes, sans chercher à les rattraper. Elle s'est statufiée.

— Mais moi, je reste, les amis, on va continuer comme avant, dans notre belle classe, avec le tableau de motivation, le boulier des récompenses, la rotation des tâches…

— … six, sept, nuite, neuf, dix, nonze, duze, treisse, quatorsse, quinsse, seisse.

Dans le silence parfait de la classe, des syllabes sifflantes fuyaient de la bouche de Pavel, qui prononçait ses tout premiers mots. Agenouillé pour ramasser les cartes, il les avait classées et comptées avant de les rendre à Julia, qui s'était empressée à son tour de revérifier trois fois. Sa voix était à la fois feuilletée et feutrée, avec des inflexions chantantes. Si je n'avais pas eu peur de briser la magie de ce qui se passait, je lui aurais posé mille questions juste pour l'entendre encore. Seize deviendrait notre amulette, notre façon de classer l'univers en attendant que les astres se repositionnent et que madame Sophie revienne.

— Devan, va ramasser la poubelle, s'il te plaît.

— C'est pas de ma faute !

— Et les papiers ! Tous les papiers !

La mère de Laurent était absolument dépitée, le soir, quand je lui ai annoncé la nouvelle. Elle a fermé les yeux et baissé la tête, comme si je venais de lui signifier la mort de son fils.

— J'avais rendez-vous avec elle, demain, j'imagine que ça veut dire que je ne pourrai pas la voir ?

— J'imagine. Si à peut pas venir travailler…

— Mautadine que ça tombe mal !

— C'est au sujet de Laurent ?

— Oui, je voulais qu'on discute des aptitudes de Laurent, j'avais des questions, des petites inquiétudes.

— Ah oui ? Pourtant Laurent fonctionne super bien, y suit les consignes, y apprend rapidement, y mange toujours ses fruits avant son fromage, comme vous l'aviez demandé…

— C'est qu'on avait fait une demande de dérogation pour Laurent un an avant son entrée en maternelle. Il est du début octobre, vous comprenez, et tellement allumé qu'on pensait que ce serait mieux pour lui d'entrer en maternelle plus tôt… mais on nous a refusé la dérogation, pouvez-vous croire, « cognitivement pas prêt », apparemment, c'est ce qu'on nous a écrit en tout cas. Pas moyen de faire appel ou d'avoir une deuxième évaluation, rien, c'était non sur toute la ligne, même si on était prêts à tout payer.

— OK.

— Vous comprenez qu'on s'inquiète un peu, quand même, avec un diagnostic difficile comme ça.

— Mais y est rentré cette année comme prévu, pis ça se passe bien ?

— Oui, mais on veut qu'il intègre une école spéciale l'année prochaine avec un programme international trilingue trrrès en demande, on veut pas qu'il rate sa chance cette fois-ci. Comme on est sur le point de l'inscrire pour les cours préparatoires aux examens d'admission, on veut savoir sur quoi insister, sur quels aspects travailler davantage, c'est pour ça qu'on tenait à voir madame Thomas.

— Thomas ?

— Sophie Thomas.

— Oh ! Oui…

— C'est tellement infantilisant appeler les profs « madame » avec le prénom, j'en reviens pas que les écoles tolèrent ça.

— Vous avez pas eu la chance de parler à Sophie à la réunion de parents en novembre ?

— Oui, mais les profs ont pas le temps de jaser longtemps ces soirs-là, on a à peine eu vingt minutes.

Vingt minutes fois vingt têtes de pipe, ça fait de longs palabres pour de petites aptitudes.

— Si ça marche pas là-bas pour Laurent, c'est quoi l'autre option ?

— Ouf !

— Continuer ici en première année ?

— Non, c'est pas vraiment ce que j'appelle une option, il n'y a rien de pire pour un enfant comme Laurent que d'être sous-stimulé. Passe encore pour la maternelle…

Certains mots sont violents comme des crachats. Je lui ai fait un sourire très Adèle avant de retourner à mes petits, Devan m'attendait pour une partie de Mille Bornes. Si elle tenait à ce que Laurent soit recruté à la NASA avant ses dix ans, ça ne me regardait pas, au fond. Le père d'Éléonore, qui n'avait rien manqué de notre conversation, a doucement posé sa main sur mon avant-bras en baissant les yeux, avant de sortir de la classe et d'aller balader ses charmes sous d'autres cieux. La maman de Tarek et le papa de Louane sont aussi venus me présenter ce qui ressemblait à des condoléances, comme si je portais, par ricochet, une part du mal inconnu qui affectait madame Sophie. On s'inquiétait sincèrement pour elle, au-delà de ce que son absence impliquait pour les enfants. Ça m'a émue aux larmes. J'avais peut-être fait le bon choix. Une série de bons choix.

Depuis deux jours, les gars remballaient le chantier, démontaient les échafauds, les passerelles, les corridors de protection. C'était la première fois de ma vie que je voyais des rénovations se terminer dans les temps. Ils réinstalleraient au printemps tout leur barda dans et autour d'une autre école, dans la ville d'à côté. Comme des marins qui se déposent d'un port à l'autre. De loin, je regardais « mon » Guy aller et venir, puissant et magnifique, sans trop comprendre ce que j'attendais de lui.

Prémâché m'attendait sur le pas de la porte arrière quand je suis arrivée, une belle sittelle assassinée entre les pattes.

— Mais non, gros niaiseux ! Claudine t'a acheté une caisse de manger mou chez Costco.... Maudit, pauvre 'tit oiseau, juste comme l'hiver arrive. Enweille, rentre.

Il n'a jamais voulu entrer. Pendant que je ramassais la bête avec un triple sac de plastique, il me regardait attentivement, fier de m'avoir ramené un bon repas frais après une grosse journée de travail. Comment il s'y était pris, dans son état, pour chasser un oiseau ? Aucune idée. Il s'était peut-être rabattu sur un oiseau grand-père, comme lui, je ne savais pas reconnaître les vieux oiseaux. Je n'ai pas osé laisser son offrande dehors, pour ne pas le froisser, j'ai plutôt traversé l'appartement pour le déposer dans la poubelle du balcon avant. Quand je suis revenue pour voir s'il était maintenant prêt à rentrer, sa croupe se balançait sur les dernières marches.

— Prémâché ? Tu vas où ? Viens ici minou, j'suis pas fâchée ! Viens !

Il a fait quelques pas très lentement, s'est retourné pour répondre à mon appel – mille et un, mille et deux, mille et trois – et il est reparti sans faire d'histoire. Dans le coude de la ruelle, il a disparu.

— Oui, je vais bien, toi ? Super. Écoute, je veux pas te déranger, ma cocotte, mais j'ai une petite question pour toi... Oui, Guy va bien... les enfants aussi, oui... euh... est-ce que les chats font comme les oiseaux ? Pour mourir, je veux dire. Oui, se cacher... Oui ? Mais dans la maison, y aurait dû se sentir protégé ?... Trois jours, comme Jésus. Mais y reviendra pas... non, je sens que non... Ben oui, y était laite, magané de même, mais y avait quelque chose de touchant... On le dira pas à Madeleine, OK ? Pis Steve, là, qui se retrouve tout seul...

Prémâché n'est jamais revenu à la maison. Mes enfants non plus, mais ceci était, contrairement à cela, hautement souhaitable. Et mon tour viendrait peut-être un jour, si tout continuait de bien se passer, de jouer à la gentille grand-mère pleine de tours dans son sac et de bonnes vieilles recettes. Je pouvais compter sur l'école pour me dérouiller.

■

Pouls, pression et poids, dans le désordre, par la même infirmière tatouée en jardin. Tout avait un air de déjà-vu, comme si je n'avais jamais quitté la salle de tri. Seule différence notable : la *slush* sur le plancher. L'hiver se glissait en douce dans nos vies, rampait dans nos maisons en s'accrochant à nos dessous de bottes.

— Vous consultez pour quelle raison aujourd'hui, madame Delaunais ?

— Mes seins.

— 'Sont douloureux ?

— Non, juste vieux.

Elle a ri. *Funny*, la matante.

— Vous avez…

— Cinquante.

— Vous avez jamais fait de mammo ?

— Non. Y disent une fois aux deux ans à partir de cinquante sur le site du gouvernement, j'ai un tout petit cinquante…

— C'est parfait. Pour le reste, ça va ?

— Plutôt, oui.

— Vous pouvez retourner dans la salle d'attente, on va vous appeler par votre nom.

La salle pleine d'enfants enrhumés et braillards ne m'attirait guère, j'ai bifurqué à gauche, dans le couloir attenant aux salles d'examens. J'éviterais le zoo tout en étant aux premières loges pour l'appel des noms. Et le regard implorant de parents à bout de nerfs me rappelle trop à quel point on se sent seul avec un enfant malade sur les bras, même dans une pièce bondée de monde.

— Bonjour, madame.

Sorti de nulle part, le « gentil » médecin qui m'avait reçue la première fois s'était planté devant moi. Vite comme ça, il avait l'air sympathique.

— Bonjour docteur.

— Les pieds vont mieux ?

— Oui, la femme au foyer a mis des bas pis s'est trouvé une job. Une vraie.

Il s'est pincé l'entre-yeux en souriant. Pas tout à fait mal à l'aise, mais pas loin.

— Vous voyez des patients SMF aujourd'hui ?

— Des… ?

— Sans médecin de famille.

— Non, juste les miens.

— Fiou !

— Ha ! Ha ! Vous êtes une pas commode, vous.

— Pareillement.

— Ha !

Il s'est mis à rire comme si je venais de faire la blague du siècle. L'infirmière fleurie est passée derrière lui en fronçant les sourcils, pas tout à fait rassurée. Une fois calmé, il m'a tendu la main.

— Fin des hostilités.

— Fin.

— Je veux pas vous décourager, mais vous aurez pas de médecin de famille de sitôt.

— Ah non ?

— Vous êtes beaucoup trop en forme.

Il est reparti en riant avec ses dossiers plantés dans son dessous de bras. Je l'ai presque trouvé beau. Au-delà de ses idées arrêtées et de sa légère suffisance, ce devait être un homme extrêmement intéressant. Une heure vingt-trois plus tard, j'entrais dans le bureau d'une jeune médecin qui trouvait que c'était une bonne idée de passer mes vieux seins dans l'écrapoutisseur.

■

— J'ai amené nos tricots, des livres, des sels de bain.

— On part trois jours.

— C'est bon de faire semblant qu'on va avoir le temps de faire plein d'affaires. Ça donne l'impression qu'on part plus longtemps. J'ai même ressorti des boules à mites un gréement pour faire du petit point. Maudit que je vais relaxer, regarde-moi ben aller !

On a pris la courbe au bout de la 40 et foncé droit vers le fleuve. Même si je savais que Claudine allait donner un coup de volant vers la gauche pour continuer sur la 138, mon estomac s'est noué : la direction lâcherait, on ferait le saut jusque dans le fleuve glacé, les portières resteraient coincées, l'eau entrerait de partout, on se noierait à petit feu, une cellule explosée à la fois, en frappant les vitres de nos poings impuissants. Mais quand la 138 est apparue, les mains de Claudine placées à dix heures dix sur le volant se sont croisées lentement et nous avons longé le fleuve au lieu de sauter dedans, comme toujours.

— Guy était pas trop déçu que je te kidnappe ?

— Ben non, c'est un grand garçon.

— OK. C'est-tu moi ou tu manques d'enthousiasme ?

— Bof ! Je sais pas si c'est le bon mot.

— Es-tu en amour, coudonc ?

— En amour ? Non.

— Non ? Non ! *Shit* !

— On est pas obligés d'être en amour.

— Non, mais c'est le *fun* en maudit.

— Peut-être, mais on décide pas ces affaires-là.

— Non, mais on peut se forcer !

— Se forcer à être en amour ?

— Des fois, faut se botter le cul un peu. Quand t'as un dieu grec dans ton lit…

— Justement ! Au lit, pas de problème ! Pour le reste…

— Mais quoi, le reste ?

— Je sais pas, j'suis pas… j'suis pas totalement là.

— Je comprends pas.

— Moi non plus.

— Mais c'est triste !

— Non, c'est pas triste ! J'suis bien avec lui, on passe du bon temps…

— Tu baises comme une lapine.

— Exagère pas, y s'endort tout le temps.

— Pour vrai ?

— Y se lève à quatre heures du matin.

— C'est quoi d'abord ?

— Je sais pas !

— Avoir su, j'aurais sauté dessus avant toi.

— J'arrête pas d'essayer de comprendre. Je pense qu'y est peut-être trop associé à ma séparation. Y m'a vue détruire ma maison, mon jardin, y m'a ramassée à 'petite cuillère quand tu m'as virée…

— La compagnie, pas moi.

— J'arrive pas à m'enlever ces images-là de la tête, c'est peut-être ça.

— Veux-tu, je vais dire c'est quoi, le problème ?

— Non, pas vraiment.

— T'es gênée parce que c'est un gars de la construction.

— NON ! Jamais de la vie !

— Oh que oui !

— Tu me traites de snob ? C'est ça ?

— T'as passé trente ans dans une famille d'aristos péteux de broue riches comme Crésus, quessé que tu veux, ça laisse des traces.

— Je m'en fous tellement ! Mais tellement !

— T'étais mariée au *boss* de la compagnie, là tu sors avec le gars qui pose les fenêtres, je sais pas, mais...

— Mais rien pantoute ! T'es tellement dans le champ ! Jacques l'a eue toute crue dans 'gueule, sa maudite compagnie de marde ! Guy travaille comme un fou pour chaque cenne qu'y gagne, chaque cenne, y se lève avec les poules pour leur construire des petits nids dorés, aux péteux de broue ! Y sait tout faire avec ses mains, lui, TOUT ! Jacques est pas foutu de savoir de quel bord y tient un marteau ! Y brûle ses neurones à trouver un moyen de faire tenir une ostie de piscine dans un jet privé, mais y saurait pas par où commencer pour construire une bécosse ! Les gars comme Jacques mangeraient de la bouette pis dormiraient encore dans des cavernes si les Guy existaient pas ! Fait que non, j'suis pas gênée pantoute !

— *Wooo !* La matante est choquée...

— Si tu mets le mot ménopause dans ta prochaine phrase, je te dévisse la tête.

— Je dis pus rien. Mais ça me fait du bien de t'entendre le défendre, le pauvre gars.

On a regardé défiler le décor pendant un petit bout sans parler, le temps de décanter. La route était belle, le paradis se dessinait droit devant nous, en une succession de montagnes poudrées. Des lambeaux de neige s'accrochaient à la grève, comme des moustaches de lait. Ça me faisait mal à force d'être beau.

— Je peux pas être en amour avec Guy, je l'aime bien…

— Ouach !

— … j'suis bien avec lui, je me sens belle, mais bon, d'un autre côté, on a pas grand-chose à se dire, pis j'ai un peu l'impression, quand je me mets à réfléchir, quand je vire ça de tous les bords…

— Faut jamais réfléchir en amour.

— Je sais, justement, j'suis pas censée, mais j'suis toujours en train de me poser des questions !

— Tu disais, t'as l'impression…

— Ben… j'ai l'impression, d'avoir pris le premier du bord.

— Câlac ! Y a des premiers du bord moins pires que d'autres !

— Je sais ! Je serais la première heureuse d'être complètement emballée, mais je le suis pas. Je peux rien faire, c'est de même.

— Tu y as dit ?

— Ben non, je viens de le comprendre en te le disant. Pis on peut avoir un amant sans être en amour.

— C'est ton *rebound*.

— J'imagine…. Pis y a aussi que je peux pas être en amour avec Guy, parce que j'suis un peu comme en amour… Non, j'suis pas vraiment en amour, mais je *voudrais* être en amour comme je *pourrais* être en amour avec lui… parce que malgré le temps qui passe, pis tout ce qui est arrivé, je sens que je pourrais encore, j'aime ça, dire ça, « je pourrais encore », pis je me dis, tant qu'à avoir tout recommencé…

— C'est qui, « lui », dans ta phrase ?

— J'ai dit *comme* je « voudrais » être en amour, capote pas.

— J'ai compris, enweille !

— Ji-Pi.

— Ji-Pi ?

— Hum.

Elle n'a pas sourcillé, seulement ralenti pour s'engager dans le stationnement du Ultramar.

— Prends pas ça de même ! Je dis juste que je veux pas un homme à tout prix ! Je commence à être bien toute seule, mais si je pouvais choisir, j'aimerais ça être en amour, vraiment en amour, on dirait que le monde trouve ça indécent quand on veut être en amour à cinquante ans, tout le monde parle d'un compagnon de vie, crisse, un compagnon de vie ! Une marchette avec ça ? Ça sonne « on fait juste des 'tites balades ensemble pis on va au théâtre », comme si le sexe était sale à cinquante ans. À ce compte-là, je pourrais m'engager une dame de compagnie, j'y demanderais de faire mon lavage, tant qu'à faire…

Je l'ai suivie à l'intérieur, dans ce temple de la cochonnerie où les yeux ne peuvent se poser sans frapper une pastille clinquante chargée d'offrir des combos spécialement conçus pour l'arythmie cardiaque et l'obésité, en format *States*. D'ailleurs, quand Claudine s'est dirigée vers la caisse avec son « bon café de machine », la jeune fille dont le corps ébauchait déjà les formes de la patate lui a offert un *chips* ou un paquet de Ice Breakers saveur au choix pour seulement un dollar soixante-dix-neuf de plus.

— Tu me paierais pour les prendre que j'en voudrais pas, ma belle. Mais c'est pas de ta faute, merci.

On s'est dirigées vers le fond du stationnement, pour se dégourdir et jeter un œil au fleuve que la glace ne tarderait pas à prendre à bras-le-corps. Nos haleines chaudes écumaient dans l'air glacial, le froid nous mordait le fond des poumons. J'ai calé ma tête dans mon cou, mes mains dans mes poches.

— On va mettre ça au clair là, j'suis pas en amour avec Ji-Pi, c'est pas ça que j'ai dit.

— Ben oui, mais c'est pas grave.

— Non ! Y est marié ! Voyons, je ferais jamais ça !

— Quoi, ça ?

— Ben… le gosser, le *cruiser*… Pis de toute façon, je dis ça comme si ça dépendait de moi…

— En tout cas, t'étais prête à le *frencher* l'année passée.

— Pantoute ! C'était un tremplin imaginaire, de ton invention d'ailleurs, pour me fouetter pis me remettre en vie ! Y a jamais été question de le *frencher* pour vrai !

— Tu l'aurais pas *frenché* si t'avais pu ?

— Je pense pas.

— Ah, tu penses pas.

— Pas mal certaine. Pas mal pas mal certaine, même.

— Mais…

— Non.

— OK, mon tour : j'ai *frenché* Fabio.

— Nan ?

— À l'Igloo.

— Hein ? Quand ça ? Avant que j'arrive ?

— Non, vers la fin de la soirée, en allant aux toilettes.

— Quand j'étais là ?

— Oui.

— Pis tu me l'as pas dit ?

— Regarde comment tu réagis, je savais que tu me ferais la morale.

— *Shit* ! Y est marié !

— Mais non, le monde se marie pus aujourd'hui.

— Mais y est casé !

— Un peu, oui…

— Merde, Clau ! Qu'est-ce que tu fais là ?

En laissant tomber mes bras, ma sacoche a suivi ; elle s'est ouverte sous le choc, libérant mon rouge à lèvres, qui s'est mis à rouler doucement sur l'asphalte.

— J'ai juste *frenché*, ça veut rien dire.

— Ça veut dire que c'est un con fini !

— Ou que ça va mal avec sa blonde.

— Peu importe ! T'as pas d'affaire là ! Sauve-toi !

— J'avais besoin d'un petit tremplin, moi aussi ! Je crève d'ennui, au travail, dans ma vie, partout ! Je crève ! JE CRÈVE !

Depuis que Philippe l'avait larguée pour étudier à fond l'intelligence pratique de quelques-unes de ses plus inspirantes élèves, elle n'avait pas vécu la moindre petite aventure, à l'exception de celles que générait son esprit. Son « crève » sonnait vrai. Il m'a punché l'estomac.

— Je m'en fous qu'y ait une blonde ou douze blondes, j'y ai à peine volé deux-trois cuillérées de salive, je l'ai pas mangé, pis j'aurai peut-être plus jamais la chance de *frencher*…

— Ben voyons…

— Je vieillis, je grossis, je ramollis, je vois pas comment ma situation pourrait s'améliorer dans les prochaines années.

— Y a des hommes qui voient au-delà de ça.

— Oui, y ont des cataractes pis y sont *parkés* dans des CHSLD.

— Ben non…

— J'suis toute seule depuis sept ans. Sept *fucking* longues années. Je les compte pas, mais je le sais pareil. Fait que dans ma tête, j'ai un petit quarante. Toi, tu peux en enlever deux, mettons quarante-huit. Enweille dans le char avant qu'on pogne notre mort, la 'tite jeune.

J'ai fermé ma sacoche et fait un beau botté d'envoi avec mon rouge à lèvres. Je fais ce que je peux quand ma masse est loin.

On a repris la route vers notre cabane au Canada, là où on aurait le temps de refaire le monde, de se chicaner et de se déchicaner sur le bord d'un bon feu de bois. Mon téléphone a sonné.

— Hon ! C'est Jacinthe !

— Pas ta belle-sœur ?

— Ex.

— Réponds.

— Non.

— Mets-la sur haut-parleur, on va rire.

— On va juste se faire chier.

— Enweille ! Ça va être drôle !

— OK, tant pis… Oui allô ?

— Allô, Didi ! C'est Jacinthe !

— Ben oui, j'ai vu ça sur l'écran de mon téléphone !

— Comment ça va ? Ça fait tellement longtemps !

— Bien, toi ?

— Super ! Es-tu chez vous, là ?

— Non, j'suis en route pour Charlevoix.

— Écoute, je vais aller direct au but, t'es sûrement pressée : je me demandais si tu pouvais pas garder les enfants ?

— Iiii…

— Tu reviens quand, de où tu t'en vas ?

Claudine m'a fait des yeux énormes, terrorisée.

— Dans une semaine ou deux. On va se regarder aller.

— Ha ! C'est parfait ! Donc t'es là début janvier !

— Euh… oui, mais je vais être occupée….

— C'est juste pour une petite semaine.

— UNE SEMAINE ?

— Une chance incroyable que je peux pas manquer, Didi, tu ferais pareil si t'étais moi, je te le jure, pis j'en ai telllllllement besoin, j'ai pensé à toi quand Jacques m'a dit que tu travaillais dans une école, ça veut dire que tu travailles pas, toi, début janvier, t'es encore en vacances, c'est tellement long, vous autres, les vacances, pis c'est pas ben ben d'ouvrage pour toi, deux, quand t'es habituée d'en avoir trente ou quarante, ça changerait pas grand-chose à ton horaire habituel, pis tu fais toujours de la bouffe pour une armée de toute façon…

Et j'ai raccroché. Et nous avons longé le fleuve en riant comme des folles, comme prévu.

— J'ai une super bonne nouvelle à t'annoncer. Je voulais attendre au chalet pour te le dire, mais j'suis pus capable d'attendre.

— Mon Dieu ! Y t'ont nommée présidente de la compagnie ?

— *Hi boy* ! Non merci ! Ben mieux que ça…

— Mieux ? Tabarouette…

— Laurie revient vivre à la maison.

— Non ? Pour vrai ? C'est fini avec son *chum* ?

— OUIII !

— YÉÉÉ !

— Mais on s'emballe pas, à restera pas des années, c'est pas ce qu'on souhaite, de toute façon…

— Ben non, c'est sûr…

— Le temps de guérir, au moins.

On a roulé main dans la main, euphoriques comme des Thelma et Louise déclarées non coupables. Ce que la vie peut être belle, des fois.

Sous un cabanon, quelque part, le vieux chat de Madeleine avait déposé sa carcasse de moribond qui attendrait patiemment la mort, puis le ruissellement des eaux de pluie du printemps et de la neige fondue pour se désintégrer et voyager en molécules détachées jusqu'au fleuve, jusque dans l'estomac de mon petit poisson engourdi dans sa coupe de cristal. Les poissons qui mangent les chats, le monde à l'envers, dans toute sa beauté.

Table

Suivez-nous :

Achevé d'imprimer en janvier deux mille vingt
sur les presses de Marquis-Gagné
Louiseville, Québec

L'intérieur de ce livre a été imprimé
sur papier québécois 100 % recyclé